Татьяна Шиканян

Современный дизайн
ДАЧНОГО
УЧАСТКА

Беседки, скамейки,
барбекю и другие малые
архитектурные
формы

ЭКСМО
МОСКВА
2012

УДК 64
ББК 37.279
Ш 57

Шиканян Т.

Ш 57   Современный дизайн дачного участка. Беседки, скамейки, барбекю и другие малые архитектурные формы / Татьяна Шиканян. – М. : Эксмо, 2012. – 208 с. : ил. – (Энциклопедии цветовода, дачника).

ISBN 978-5-699-52261-3

В этой книге, написанной профессиональным ландшафтным дизайнером Т. Шиканян, представлены многочисленные варианты оригинальных садовых сооружений, которые каждый может создать самостоятельно. Проекты двенадцати наиболее востребованных видов малых архитектурных форм - беседок, скамеек, барбекю, детских площадок и других - подробно описаны и проиллюстрированы. Читатель сможет не только найти подходящее решение для своего сада, но и получит полное представление о технологии его создания, необходимых материалах, а также о том, как вписать каждый элемент в концепцию конкретного сада.

УДК 64
ББК 37.279

ISBN 978-5-699-52261-3

СОДЕРЖАНИЕ

ОТ АВТОРА

Книга, которую вы держите в руках, посвящена малым архитектурным формам (МАФ). Число видов МАФ велико, это популярные беседки разных форм и конструкций, типовые или уникальные садовые скамейки, пока редко встречающиеся в российских частных садах скульптуры, выразительные вазоны и композиции в них, фонтаны, мостики, детские площадки и т.д. Для изготовления МАФ могут применяться самые разные материалы: натуральный или искусственный камень, дерево, кирпич, металл, пластик и пр.

Существуют разные определения, что же такое МАФ, единого мнения на этот счет нет. Некоторые считают, что к МАФ следует относить все созданные руками человека объекты из искусственных и природных материалов, вносящие акцентированные изменения в ландшафтный дизайн. Они называют МАФами не только общепринятые перголы, садовые светильники и скамейки, но и стриженые живые изгороди, дорожки, подпорные стенки, рокарии, розарии, альпийские горки и пр. Мне не кажется это правильным. Некоторые определения расплывчаты и вызывают вопросы, например: «Малые архитектурные формы (МАФ) — искусственные элементы садово-парковой композиции, имеющие небольшой размер и устанавливаемые в садах и парках, как в функциональных, так и в эстетических целях».

Остановимся на следующем: МАФ — это неживые и художественно осмысленные элементы сада, причем слова «художественно осмысленные» в этом определении важнее всего. В этой книге я ограничилась двенадцатью типами МАФ, о которых далее вы сможете почитать подробно.

Татьяна Шиканян

БЕСЕДКИ, ПАВИЛЬОНЫ, ГАЗЕБО

БЕСЕДКИ

Что такое беседка, известно каждому. Это отдельно стоящая садовая конструкция под крышей, предназначенная для создания тени и защиты от дождя, для отдыха, трапезы, бесед, чтения и настольных игр, она может быть открытой, а также частично или полностью закрытой с боков. Находясь в ней, можно в любое время и при любой погоде любоваться садом. Беседка не просто украшение, это душа загородного участка.

Вряд ли найдется человек, которому не хотелось бы иметь в саду уголок, защищенный от палящего солнца и холодного ветра, окруженный зеленью и, может быть, благоухающий розами, где можно почитать или просто посидеть с милыми сердцу людьми, ПОБЕСЕДОВАТЬ. Именно беседки приходят в голову в первую очередь, когда заходит речь о малых архитектурных формах.

Беседка в течение уже нескольких веков является выразительным элементом садового дизайна и наиболее распространен-

ной садовой декорацией, и в настоящее время она лидирует среди малых архитектурных форм. Беседки способны придать саду определенный стиль, украсить любой его уголок.

Размеры беседок

Беседки могут быть самых разных форм и размеров. Увитая растениями, тенистая, хорошо вписанная в сад, она может стать любимым местом отдыха, где вы будете надежно защищены от любопытных взглядов. Каких только не бывает беседок, но независимо от стиля стоит подумать о ее размере. Людям, находящимся в ней, должно быть комфортно и просторно, подход к столу и сиденьям должен быть удобен.

Чем меньше сад, тем легче и изящней должна быть ее конструкция, чтобы беседка не подавляла остальные объекты сада, но главное, от чего зависит ее размер, — это среднестатическое количество людей, которые одновременно в ней находятся. Существует ориентировочная норма — в беседке на каждого человека должно приходиться около 4 м² ее площади.

Размер — один из важнейших критериев при покупке готовой беседки или ее строительстве для конкретного сада. Продумайте заранее, что вам нужно. Будет очень обидно, если через некоторое время вы вдруг поймете, что она не подходит для тех целей, для которых вы ее предназначали, например, слишком мала и тесна для большой компании, собирающейся у вас почти каждые выходные. Чаще всего площадь беседки составляет от 10 до 20 м², но эти цифры ориентировочные.

Невозможно себе представить это сооружение и без садовой мебели. Если вы хотите свободно разместить под крышей стол или стулья для четырех человек, то внутренний диаметр круглой беседки должен быть не менее 3 м. Минимальная высота беседки 2,3–2,7 м.

Альтернативой стульям может служить экономящая площадь скамья по периметру, в этом случае может быть достаточен диаметр 2,2 м, но такая беседка менее удобна в использовании.

Разновидности беседок

Беседки бывают открытыми и закрытыми, романтически изящными и бесхитростно простыми, крепкими типа деревенского домика, могут напоминать причудливый терем из русских сказок, японский чайный домик или китайскую беседку.

Открытые беседки наиболее популярны в нашей стране, чаще всего их делают из дерева. Пролеты между опорными столбами в них либо совсем открыты, либо закрыты до уровня стола.

Закрытые беседки имеют сплошные стены, в которых обязательно сделаны большие застекленные проемы и дверь. Часто эти беседки оборудуют печками, в них комфортно находиться и в холодную погоду, их можно эксплуатировать круглый год. В России этот вид беседок менее распространен, зимой у нас предпочитают трапезничать и общаться в доме.

Маленькая беседка на двоих предназначена для любования водоемом.

Хозяева называют эту беседку банкетной, в ней размещаются большие компании.

Открытые беседки наиболее популярны в нашей стране.

В беседке из растений находиться в жару очень приятно.

Беседки из растений, иногда их называют живыми беседками, представляют собой металлический каркас, по которому пускают вьющиеся растения либо специальным образом сформированные деревья, закрывающие стены. Это только летние беседки, чаще всего выступающие в роли декоративного элемента ландшафта, но они вполне функциональны, в жару находиться внутри очень приятно.

Формы оснований и крыш беседок

Форма основания беседки может быть круглой, квадратной или прямоугольной, многогранной и даже овальной.

В соответствии со стилем крыша может иметь совершенно разную форму:

— шатровая крыша составлена из нескольких равнобедренных треугольников, скрепленных единой вершиной, является самым распространенным вариантом для беседок;

— односкатная крыша — простейший и самый дешевый вариант, представляющий собой наклонную плоскость, закрепленную на стенах разной высоты, со скатом, обращенным к наветренной стороне;

— двускатная крыша — простой и недорогой вариант, представляющий собой две наклонные плоскости, образующие в верхней части конек. С боков такая крыша ограничена фронтоном. Уклоны скатов могут быть одинаковыми или разными. Такие крыши бывают и без конька, при этом верхние точки скатов располагаются на разных уровнях;

— куполообразная крыша по очертанию представляет собой половину шара, опирающуюся по кольцу на цилиндрическую стену, на такой крыше не скапливается снег, да и выглядит она

Китайские крыши весьма узнаваемы — большие, высокие, с загнутыми кверху углами.

Шатровая крыша для беседки — наиболее распространенный современный вариант.

У закрытых беседок сплошные стены с большими застекленными проемами.

Беседки в русских усадьбах чаще всего имели куполообразную крышу, эта находится в украинских ныне Сокиринцах.

интересно, хотя более сложна в проектировании и строительстве по сравнению с классической;

— крыша в китайском стиле наиболее сложна по конструкции, но весьма оригинальна. Благодаря приподнятым кверху углам, большая высокая крыша с изогнутым силуэтом «летит в небеса», придавая саду особую экспрессию, первым европейцам, увидевшим китайские сады, эти крыши казались привязанными за углы к небу.

Материалы для беседок

Огромной популярностью пользуются деревянные, каменные, кирпичные, металлические кованые беседки. Беседки из дерева подкупают своей основательностью и естественностью, позволяют наслаждаться запахом и теплотой натурального материала. Кованые беседки могут иметь любую форму и реализовывать самые смелые эстетические замыслы. Они более прочны и долговечны по сравнению с деревянными, при соблюдении технологии защиты металл практически не подвержен отрицательному воздействию атмосферных явлений.

Столбы беседки можно сделать из кирпича или камня, могут они быть и бетонными, лишь облицованными камнем. Материал, из которого сделана беседка, должен соответствовать ее стилю.

Стили беседок

Садовые беседки могут выглядеть весьма необычно, главное, чтобы стиль беседки соответствовал стилю дома и сада вообще. Около дома, обитого сайдингом, например, будет странно выглядеть беседка в стиле модерн, около дома в стиле хайтек не место избушке из русской сказки и т. д. Перечислим несколько наиболее популярных вариантов.

Кантри

Кантри — один из самых распространенных стилей, символ загородной жизни. Понятие «деревня» в каждой стране свое, но это всегда натуральные материалы, простые формы, функциональность, некоторое простодушие. Беседка в русском стиле всегда деревянная (лучше всего из оцилиндрованного бруса) со стилизованной русской печью с ухватами, глиняными кувшинами и чугунками, полами из дерева или иногда из натурального камня. Поддержат атмосферу русской деревни вышитые белые скатерти и занавески, полосатые тканые половики на полу. К месту будут деревянные лавки вдоль стен, старый самовар, утюг с углями… Главное, вовремя остановиться и не превратить беседку из жилого помещения в филиал этнографического или краеведческого музея.

Беседка в стиле кантри — дерево, простые формы, лиричность и функциональность.

Изысканные беседки в стиле модерн в российских садах встречаются крайне редко.

Модерн

Период модерна длился чуть более двадцати лет, но был так ярок и вдохновляющ, что интерес к нему не утрачен до сих пор. Стиль модерн, естественный и утонченный одновременно, отличает отказ от прямых линий в пользу более естественных природных очертаний и текучих форм, активное использование стилизованных цветков и листьев, силуэтов животных и птиц, стрекоз и бабочек, моллюсков, медуз, морских звезд. Цвета модерна чистые и выразительные, яркие, но естественных умеренных тонов. Особое внимание уделяется контрасту фактур.

Модерн создает одновременно эстетически красивые и функциональные сооружения, самую прозаическую вещь он превращает в предмет искусства. Не удивительно, что художественно оформляются все конструктивные элементы беседки в таком стиле: ступени, столбы, крыша.

Внимание уделяется не только внешнему виду беседки, но и ее интерьеру, в котором преобладает стилизованный растительный орнамент, активно используются стекло и художественная ковка.

Жаль, что российские сады и беседки в них крайне редко делают в этом потрясающем стиле.

Китайский стиль

В китайском саду мы видим множество обособленных, разбросанных по всей усадьбе построек, каждая из которых имеет особую функцию и создает определенное настроение. Помимо жилых зданий здесь имеются террасы для созерцания видов, павильоны и беседки для уединения, домики для ученых занятий, медитации, чаепития, музицирования, купания, приготовления снадобий, любования снегом, даже для послеобеденного сна и т.д. Каждое здание является фокусом окружающего пространства и организует определенное место сада.

Садовые беседки воздушны, легки и изящны, у них нет стен. Колонны, на которых лежит крыша, окрашены красным или черным лаком, предохраняющим дерево от порчи. Высокие и большие, изогнутые крыши покрыты желтой, зеленой или синей черепицей. Потолка в собственном смысле слова нет, потолочные перекрытия украшены многоцветным орнаментом.

Китайский сад — это диалог природного и культурного начал. Беседки не прячутся, не подавляют природу, а служат элементами построения садового пространства. Сад в Китае всегда продолжение дома, это жилое пространство под открытым небом, здания в саду строятся так, чтобы ни одно

Перед нами подмосковный вариант китайской беседки.

Так выглядит беседка в той части Эдинбургского ботанического сада, которая посвящена китайской флоре.

не было похоже на другое, но соотносилось с общей концепцией и имело строго определенное назначение. Сад это расширенная полезная площадь, смежная с домом, по существу сад-дом или, наоборот, дом-сад.

Японский стиль

Террасы, беседки или чайные домики — непременные архитектурные элементы японского сада. Именно оттуда можно спокойно любоваться садом и отдыхать, наслаждаясь уединением. Идеальный материал для создания японской беседки или чайного домика в российском климате — дерево, желательно присутствие элементов декора из бамбука. Ее цветовая гамма скупа. Беседка должна естественно сливаться с окружающей природой и гармонировать с ней.

Цветовая гамма японских беседок скупа. Никаких ярких красок!

От беседки, оформленной с помощью грубо обработанных камней и дерева, веет массивностью и прочностью.

Выбор собственного стиля

Стили можно перечислять еще и еще. Но прежде чем остановиться на чем-то конкретном, определитесь, как вы планируете использовать беседку. Русское чаепитие и японская чайная церемония — это совершенно разные вещи, а уж если любимое времяпрепровождение вашей семьи и гостей шашлыки или барбекю, то надо не стесняться этого, а подобрать что-то подходящее именно для такой цели. В отличие от скупого минимализма беседки в японском стиле для этого гораздо более уместна, например, Таверна.

Итальянский характер беседки, которую хозяева именуют Таверной, подчеркивают стрижефные облепихи, напоминающие своим обликом и цветом листвы оливковые деревья.

Так хозяева одного подмосковного сада, очень творческие люди, назвали свою беседку, в которой принимают гостей и угощают их, в Италии и некоторых других странах это слово обозначает харчевню,

Места для размещения беседок

В беседке человек проводит достаточно много времени, она должна соответствовать стилю жизни семьи. Нужно найти оптимальное место для ее размещения в

> Постарайтесь подобрать для своего сада беседки такого стиля и размера, которые подойдут именно вашей семье. Важно найти оптимальное место для их размещения в саду.

кабачок или трактир. Итальянский характер этого места подчеркивают и стриженые облепихи, напоминающие своими обликом и серебристыми листьями оливковые деревья.

саду. Если вы планируете обедать в беседке и принимать там летом гостей, ее стоит расположить неподалеку от дома, если же это уголок для тихого отдыха — ее место в укромной части сада. Если семья

Из этой изящной беседки можно любоваться садом в любую погоду.

состоит из нескольких поколений, чтобы не мешать старшему поколению отдыхать в тишине и покое, правильнее поставить беседку для шумных застолий в глубине сада, подведя к ней воду и электричество и оборудовав всеми необходимыми кухонными принадлежностями и посудой.

Не стоит воспринимать беседку только как место для застолий, в ней можно отдохнуть от полуденного зноя, переждать дождь, просто полюбоваться садом в полном уединении. Расположите ее в том месте, откуда открывается самый лучший вид на окрестности (если таковые имеются) и самые живописные уголки сада. Но и сама беседка должна быть украшением. Место нужно выбрать с тем расчетом, чтобы она смогла показать себя во всей красе, чаще всего это углы участка, границы садовых зон, а также входная зона или место возле пруда.

Выбирая место для беседки, подумайте о том, что будет ее окружать. Неплохо устроить рядом водоем, около воды хорошо смотрится беседка в любом стиле. К ней должна вести достойная дорожка. Но даже самая чудесная беседка будет смотреть незавершенной без лиан, увивающих ее. Мне кажется, особенно уместными тут будут ароматные лианы, хотя этот совет неприменим, если в семье есть аллергики. В том случае, когда лианы и кустарники плотно подступают к беседке, она становится почти незаметной, «врастая» в сад, если же она не увита лианами, а деревья и кустарники находятся от нее достаточно далеко, она является центром внимания.

Если участок не чересчур мал, устройте несколько беседок в разных местах участка. Как правило, это одна просторная беседка для больших застолий и несколько маленьких, где можно попить чай или ко-

Маленькая китайская беседка примыкает к беленой ограде сада.

Крошечная по размеру беседка располагается в углу сада.

Проем беседки, заполненный ошкуренными ветками, выглядит очень привлекательно.

Форма и заполнение проема варьируются в зависимости от того, какую садовую картину мы хотим увидеть из беседки.

Вид, открывающийся из беседки, имеет особое значение.

фе, почитать, полюбоваться на водоем и пр.

Если к границе вашего участка примыкает большой соседский дом или что-то не очень для вас привлекательное, то лучший вариант расположения зоны отдыха — беседка с глухими задней и боковыми стенами. Такое сооружение стоит спиной к забору, почти примыкая к нему, между ней и забором лишь небольшой проход, вместо стекол в окна лучше вставить зеркала. Ее ставят лицом к дому, переднюю стену делают открытой, тогда вы будете, сидя за столом, любоваться своим домом.

Особое значение имеет вид, открывающийся из беседки. Беседка, активно включенная в композицию, не подавляет природу, а служит элементом построения пространства сада. Важнейшая категория для оценки архитектурных построек сада — тесная взаимосвязь между ними и природной средой. Участок сада планируется с учетом того, как он будет выглядеть из проема беседки, в зависимости от этого варьируется форма проема, его обрамление и заполнение. Следует учитывать не только то, как архитектурные постройки будут смотреться в саду, но и как сад будет смотреться из окон или проемов этих построек, насколько одно дополняет вид другого.

ПАВИЛЬОНЫ

Часто, говоря о беседках, упоминают павильоны. Иногда беседку и павильон считают синонимами. Так что же такое павильон и чем он отличается от беседки? Павильон (фр. *pavillon*) — небольшая изолированная постройка, предназначенная для отдыха, развлечения, архитектурного украшения пейзажа. От беседки отличается тем, что закрыт со всех сто-

Если к границе вашего участка примыкает большой соседский дом, то лучший вариант расположения зоны отдыха — беседка с глухими задней и боковыми стенами.

Столбы беседки могут быть выполнены из кирпича.

Закрытые беседки можно оборудовать отоплением, чтобы использовать их круглый год, в России они мало распространены.

Чаще всего газебо называют такую конструкцию, из которой открываются виды во все стороны.

рон, это строение можно использовать и в межсезонье, и зимой, если есть возможность обогрева. Большие окна дают ощущение, что вы находитесь внутри сада, а хорошая теплоизоляция и встроенное отопление позволяют комфортно чувствовать себя здесь и в прохладные дни. Синонимом павильона можно считать закрытую беседку.

Павильоны являлись неотъемлемой частью усадебных комплексов в Европе, а со времен Петра I и в России. Читаем у Даля: павильон — беседка, летнее строеньице, украшенное в разном вкусе. Пристрой, но отдельный от дома, дворца; придомок.

Каждое строение должно занимать свое уникальное место в саду, являясь его частью, именно так достигается преемственность дома и сада.

ГАЗЕБО

Газебо появились на заре истории садовой архитектуры. Данное наименование следует относить не ко всякой садовой конструкции, а лишь к той, с которой открываются дальние виды, или к той, из которой открываются виды во все стороны.

Газебо несколько напоминает беседку, но всегда ажурнее и выше, он не создает эффекта замкнутого пространства, а главное, чаще всего там не сидят, а сквозь него проходят. К сожалению, применяется крайне редко, хотя может эффектно украсить любой сад и места на земле практически не занимает, парит в воздухе. Минимальная ширина 1,8–2,4 м, минимальная высота 2,4–2,5 м. Такая конструкция, как правило, сооружается в центре сада или какой-то его части, на газоне или в месте крестовидного пересечения дорожек и представляет собой некий достаточно прозрачный шатер.

Газебо эффектно украсит любой сад, почти не занимая места на земле.

ПЕЧИ, МАНГАЛЫ, БАРБЕКЮ, КОСТРИЩА

Многие не представляют себе дачный отдых без ритуала приготовления шашлыка или барбекю, зона приготовления еды на природе является немаловажным элементом сада, она стоит того, чтобы уделить ей особое внимание. Такая зона, конечно, невозможна без садовой печи. Готовка на открытом огне увлекает многих, большинство россиян — общительные и хлебосольные люди. Площадка для барбекю должна быть просторной, чтобы там с комфортом могли разместиться гости и хозяева, был удобный подход к садовой печке — барбекю или мангалу и в результате процесс приготовления еды был приятным. Совместная трапеза — это лучший отдых на природе.

Варианты зон отдыха с приспособлениями для приготовления еды столь же разнообразны, как и сами сады, перечислим их:
— павильон или беседка барбекю достаточно больших размеров;
— патио, мощеная площадка;

— терраса, оптически соединяющая дом с садом, или увитая зеленью пергола, примыкающая к фасаду дома;
— просто скамья, поставленная около мангала или кострища с упорами для шампуров или решетки.

Часто в современном саду проектируют не одну, а несколько зон отдыха.

Для начала постараемся определиться с терминами.

Барбекю — способ приготовления продуктов питания (чаще всего мяса) на жаре тлеющих углей, кроме того, это название самого блюда и оборудования, используемого для этой цели, а также название мероприятия с приготовлением еды таким способом. Термин распространен в США и близок к традиционному для России шашлыку, теперь барбекю часто готовят и в России.

Барбекю это такой метод приготовления продуктов, при котором они коптятся на решетке при температуре 100–120 °C. Кроме мяса этим способом готовят рыбу, птицу, овощи, фрукты, десерты, даже поджаривают ломтики хлеба.

Можно ли считать, что зона барбекю и зона отдыха это одно и то же?

Для сооружения садовой печи вполне годятся валуны.

При облицовке печей барбекю может быть использован не только кирпич, но и натуральный камень.

включающую в себя очаг с грилем и вертелом, варочную печь, духовку, коптильню. Она должна предусматривать свободные горизонтальные поверхности (полочки) для размещения приготавливаемых продуктов и кухонной утвари, необходимо предусмотреть наличие разделочного стола и встроенной мойки.

При кладке печи барбекю используются только огнеупорные материалы типа кирпича, бетона или натурального камня различных размеров и форм. Не экономьте на высоте: если гриль будет слишком низким, вам придется постоянно нагибаться, а гостям страдать от дыма.

Приготовление мяса это настоящее священнодействие, для которого отводят определенное место. Главный элемент его — мангал или барбекю. Иногда их делают стационарными, но вполне возможны и переносные варианты. Для приготовления и шашлыка, и барбекю нужен уголь, чаще всего используют древесный уголь из пакетов, а дрова рассматриваются как декорация для украшения пространства. Вполне возможно делать угли в кострище. Если хватает места, рядом с мангалом или барбекю ставят стол со стульями для тех, кто готовит мясо, и для гостей.

БЕСЕДКИ БАРБЕКЮ

Беседки барбекю привносят в загородную жизнь ощущение комфорта, домашнего уюта, спокойствия, здесь так приятно отдохнуть после рабочего дня. Они вполне могут стать летней кухней и любимой столовой для чаепитий и семейных торжеств. Для приготовления барбекю в беседке или иногда рядом с ней устанавливается специальная печь-жаровня из кирпича или камня с дымоходом и трубой. Ее можно приобрести либо изготовить самостоятельно. Минимальный

Не совсем. Аналогом зоны отдыха в саду можно считать гостиную в доме, зона барбекю — это скорее столовая, совмещенная с кухней, обставленная уютной садовой мебелью и оснащенная мангалом или печью барбекю.

САДОВЫЕ ПЕЧИ

Печь барбекю может представлять собой достаточно сложную конструкцию,

Удачно расположенная большая беседка барбекю может стать любимым местом для чаепитий, семейных обедов и проведения торжественных приемов в саду.

размер гриля 1×0,5 м. Он должен быть прочно укреплен в кирпичной кладке, под гриль вставляется поднос для углей. Решетка и поддон должны выниматься, чтобы их можно было чистить и убирать на зиму в сухое помещение.

С обеих сторон от гриля располагаются рабочие столы, каждый площадью около квадратного метра. Высота барбекю и рабочих столов такая же, как у столов на кухне. Под рабочими столами делаются шкафчики, где летом хранят все необходимое для готовки. Для обеспечения пожарной безопасности вся эта конструкция устанавливается на бетонном основании.

Кроме собственно печи с грилем и вертелом, в беседке нужно предусмотреть полки

С обеих сторон от гриля располагаются рабочие столы, высота которых должна быть такой же, как у кухонных столов.

Покупные печи барбекю красивы и вполне функциональны.

Барбекю могут быть не только стационарными, но и переносными.

Эта конструкция переносного барбекю с крышкой одна из самых удобных.

для утвари и разделочный столик. К этому месту подводят водопровод, делают водослив и организуют освещение.

Выбирая место для барбекю, не следует забывать о пожарной безопасности — не размещайте печь под ветвистыми деревьями, сильный жар может их повредить, или рядом с деревянными постройками и изгородями, они также могут пострадать. Беседка барбекю может располагаться около дома, но может разместиться и в уютном месте сада, вдали от него, чтобы дым от шашлыков или барбекю не распространялся в направлении дома.

Площадь около стационарных барбекю желательно вымостить плиткой либо прочным клинкерным кирпичом, хорош надежный и долговечный натуральный камень.

МАНГАЛЫ ИЛИ ПЕЧИ БАРБЕКЮ НА ТЕРРАСЕ

Терраса — это связующий элемент между домом и садом. Ее следует рассматривать как продолжение жилого дома. Для огромного дома с большими комнатами подходит просторная терраса, маленький дом с небольшими комнатами выходит на террасу скромных размеров, которая не теряет от этого своего очарования.

Наилучшим местом для устройства террасы являются юго-восточная, южная или юго-западная сторона дома, в любом случае терраса должна быть достаточно солнечной, чтобы ею было приятно пользоваться с весны до осени, для защиты от полуденного летнего солнца используются солнцезащитные зонты и тенты.

Стиль и конструкция дома чаще всего определяют характер покрытия террасы. Дерево или натуральный камень — самый подходящий материал на покрытия пола террасы деревянного загородного дома. Рядом с сельским домом, окруженным традицион-

Площадку около стационарной печи барбекю желательно вымостить плиткой, клинкерным кирпичом или натуральным камнем.

Беседки барбекю с успехом играют роль летней кухни.

Людям, находящимся в беседке, должно быть комфортно и просторно, подход к столу и сиденьям должен быть удобен (архитектор Анна Филатова).

Литовский вариант беседки барбекю в стиле кантри.

На мощеной площадке за домой можно готовить шашлык или барбекю, просто отдыхать или пить чай.

Под пристенной перголой терраса выглядит особенно уютно.

ным садом, лучше будет смотреться терраса, замощенная булыжником или клинкерным кирпичом.

Без растений терраса будет выглядеть скучновато, это жилое пространство должно быть окружено зеленью, по ее периметру высаживают растения, важно, чтобы терраса не была чрезмерно затенена. На террасе часто ставят растения в горшках, обеспечивающие плавный переход от дома к саду. Под пристенной перголой терраса выглядит особенно уютно. На просторной террасе вполне возможно установить печь барбекю или стационарный мангал.

МАНГАЛЫ ИЛИ БАРБЕКЮ НА ПАТИО

Внутренний дворик, или патио, — это мощеная площадка, примыкающая к дому с задней стороны. Патио должно быть красивым и удобным, вообще выглядеть эффектно. Стиль, в котором выдержано его оформление, должен гармонировать с обликом дома

На просторной террасе вполне возможно установить стационарную печь барбекю.

Терраса – связующий элемент между домом и садом.

Беседка барбекю может разместиться и вдали от дома, в уютном месте сада.

и сада. Сама идея патио, внутреннего дворика у дома в саду, пришла к нам из Средиземноморья, но быстро прижилась на русской почве. На этой мощеной площадке можно жарить шашлык или делать барбекю, просто отдыхать, принимая солнечные ванны, сидя на диванах-качалках или в шезлонгах. Если в семье есть маленькие дети, на мощение патио можно поставить для них песочницу, а для взрослых оснастить патио удобными креслами и столом.

Патио — зеленая комната в саду, продолжение жилых помещений и кухни дома. Очень живописный уголок получается, когда над патио устанавливается пергола, увитая вьющимися растениями.

По форме патио в большинстве случаев бывает прямоугольным, однако может быть круглым или полукруглым. Высокие стены в патио не используются, иногда ими огораживают одну или две стороны дворика, если нужно закрыться от ветра.

Если участок за домом имеет пологий подъем, уместно устроить лестницу с неширокими и невысокими ступенями, ведущими в сад. Если же участок за домом имеет легкий уклон вниз, удобнее устроить приподнятое патио, его можно устроить и на ровном участке, для этого достаточно приподнять уровень пола на 15 см над землей.

КОСТРИЩА

Каждую весну и осень дачникам приходится сжигать ветки после обрезки де-

*Патио — зеленая комната в саду, продолжение жилых помещений и кухни дома.
Лучше всего его замостить, но и газон подойдет.*

ревьев и кустарников, бумажный мусор, пораженные болезнями и вредителями растения, поэтому иметь постоянное место для разведения костра на участке очень удобно. Оборудовать кострище на даче стоит всем, кому нравится сидеть вечером у огня, вспоминая пионерское детство или студенческую юность, просто любуясь языками пламени.

Кострище чаще всего делают круглым, диаметром около метра, выкладывая стенки кирпичом или бутовым камнем, вместо цементного раствора можно использовать известковый или глиняный. Место для кострища лучше делать углубленным. Стена кладки должна выступать выше кострища на 10–20 см. Землю вокруг кострища лучше замостить огнеупорным кирпичом или натуральным камнем, это не только придаст этому месту опрятный вид и поможет поддерживать порядок, но и сделает костер безопасным. Посадочные места лучше сделать на расстоянии около 2 м от костра, в качестве них используйте пеньки, стесанные камни, простые деревянные скамейки.

Требования к кострищу:

1) дым не должен причинять неудобства хозяевам дачи и их соседям, изучите направление преобладающих ветров и отыщите подходящее место;

2) кострище размещайте вдали от деревьев, заборов и построек, которые могут пострадать от копоти и высокой температуры;

3) на противоположных сторонах кострища можно оборудовать подставки из арматурного прутка для вертела или шампуров.

Конечно, кострище нельзя считать полноценным мангалом или печью барбекю, здесь все чересчур примитивно и аскетич-

Кострище столь живописно, что это уже скорее садовая инсталляция.

но, но есть много людей, которые предпочитают готовить мясо именно в таких условиях, приближенных к походным. И, конечно, никаких магазинных углей из пакета, только дрова.

А в заключение послушайте забавную историю. В Бельгии запрещено разведение костров даже на собственном участке, там соседи не ссорятся по поводу дыма, они просто звонят в полицию. Как же выйти их этой ситуации тем, кто стрижет и обрезает кустарники и деревья? В садовом центре было куплено самое большое по диаметру барбекю, хорошо, что готовить барбекю в этой стране разрешено.

В Бельгии разрешено делать барбекю, но нельзя жечь костры.

Кострище чаще всего бывает круглым с диаметром около метра.

ПЕРГОЛЫ

Перголы могут выполнять столь разнообразные задачи, что подходят для любого сада. Независимо от того, построены ли они около дома, служат ли перекрытием над дорожкой или делают уединенной зону отдыха, увиты они зеленью либо нет, перголы создают особую атмосферу в саду.

Российские садоводы, к сожалению, крайне редко используют такие малые архитектурные формы, как перголы, а ведь с их помощью можно сделать сад красивым, аккуратным и удобным в любое время года, а также решить немало сложных проблем:

1) разделить садовый участок на зоны, обозначив границы зеленых комнат;

2) замаскировать не очень интересную постройку;

3) объединить элементы сада;

4) украсить дом;

5) создать тенистые, уютные уголки;

6) сделать участок более оригинальным, стильным и удобным.

Пергола — один из старейших элементов садового дизайна. Они использовались еще в Древнем Риме. Классические перголы можно посмотреть, например, во Франции в саду Вилландри (Villandry), восстановленном и открытом для посещений регулярном саду середины XVI века. Перголы из некрашеного дерева здесь выполняют свои классические функции: служат опорами для винограда и «организуют» тень в самый жаркий день.

Классическая пергола состоит из опорных столбов, устанавливаемых в два ряда, имеющих верхнее перекрытие. Столбы устанавливаются на фундамент или монтируются с помощью специальных опор в мощение площадки. Пространство между опорными столбами при желании может быть заполнено шпалерой. Наверху располагают соединительные элементы деревянной конструкции в виде брусков или досок.

ТЕХНИЧЕСКИЕ ХАРАКТЕРИСТИКИ

Немного о технических характеристиках пергол. Минимальная высота столбов 2,4–2,5 м, они должны быть поставлены на индивидуальный или ленточный фундамент либо установлены с помощью металлических костылей на глубину 45–60 см. Очень

Столбы перголы не обязательно должны быть сплошными, их можно сделать очень необычными, «прозрачными», например, из деревянных брусков.

Столб этой перголы представляет собой брус с сечением 10 см.

Дерево — традиционный материал для сооружения перголы.

важно сделать перголу пропорциональной, желательно, чтобы ширина конструкции была больше, чем ее высота, по крайней мере, они должны быть равными. Пергола, высота которой больше ширины, выглядит некрасиво. Расстояние между стойками вдоль перголы обычно составляет не более 3–3,5 м, чаще всего оно на треть или четверть больше расстояния между ними поперек. Длина конечно же выбирается, исходя из размеров того места, которое она будет украшать.

МАТЕРИАЛЫ

Традиционным материалом для пергол служит дерево, из которого изготавливают как легкие конструкции, так и более сложные и основательные. Дерево — отличный материал для сада, особенно для сада в ландшафтном стиле.

Деревянная пергола состоит из четырех различных, взаимно увязанных частей: столбов или стоек, балок, перекладин и подкосов. Столбы могут быть выполнены из деревянного бруса или круглых бревен, сделаны из наборных реек, из необработанных или грубо обработанных жердей. Их ставят на фундамент или закрепляют в металлических четырехугольных «башмаках». Балки, которые называют прогонами, укладывают сверху на столбы, на них перпендикулярно балкам, равномерно и достаточно часто расположены перекладины, традиционно их выполняют из доски с поперечным сечением 20×5 см, установленной вертикально. В конструкции пергол могут использоваться подкосы, которые «намертво» соединяют между собой столбы и балки, но можно обойтись и без них.

Перголы с опорами из квадратного бруса со стороной 10–15 см, пожалуй, можно считать универсальными, подходящими для любого сада.

Пергола хорошо справляется с такой важной ролью как создание уютной зоны отдыха.

Пергола, пристраиваемая к дому, называется пристенной, она достаточно проста по конструкции и увита лианами.

Для природных садов или сада в стиле кантри можно сделать перголу из ошкуренных стволов деревьев, это выглядит очень оригинально, а при наличии умельца в семье и леса поблизости может быть абсолютно бесплатным. Эти «дикие» конструкции придают ухоженному саду определенный шарм.

Столбы можно сделать очень интересными, например, «прозрачными», изящными, выполнив их из сварных металлических

Главное назначение этой перголы — создавать перекрытие над дорожкой.

конструкций или из деревянных брусков с перемычками.

Дерево можно покрасить, проморить или просто покрыть защитным слоем, сохранив естественный внешний вид.

Очень красивые перголы могут быть сделаны из металла.

Наряду с этими материалами для столбов применяют кирпич, натуральный и искусственный камень. Хорошо смотрятся перголы, выполненные из нескольких видов материала, например, натурального камня и металла, кирпича и дерева.

Если дом кирпичный или оштукатуренный, опоры для пергол тоже можно делать кирпичными или оштукатуренными. Столбы можно отлить из бетона и оштукатурить или облицевать плоским камнем.

Второй способ изготовления круглых столбов — использовать металлические трубы диаметром не более 25 см. После установки трубы обтягивают металлической сеткой, которую для предотвращения коррозии покрывают сначала расплавленным битумом, а после высыхания — цементным молоком. Затем их штукатурят цементно-песчаным раствором.

Важно учесть, что конструкция должна быть рассчитана на вес растений, увивающих перголу, быть жесткой, прочной и надежной, а также устойчивой к порывам ветра, то есть быть безопасной для людей, находящихся внутри либо проходящих сквозь нее. Вьющиеся растения затрудняют ремонт и покраску, поэтому так важен выбор материала конструкции.

Интересный эффект получается, если в увитых лианами стенах перголы, оставляют окошко, сквозь которое можно полюбоваться садом. В такое окошко должно быть видно нечто необычайно прекрасное, тогда мы получим роскошную картину в рамке из растений.

Классическая пергола из необработанного дерева в Вилландри дает тень в жаркий день и служит опорой для винограда.

Эта пергола делит участок на зоны, обозначая границу садовых комнат.

ВИДЫ ПЕРГОЛ

Верхнее перекрытие перголы по отношению к ландшафту обычно расположено в горизонтальной плоскости, но оно может быть расположено и наклонно, если пергола возводится над лестницей или ступенями.

Если пергола пристраивается к дому, то она называется пристенной, ее балки крепятся с помощью металлических башмаков к стене дома либо прикрепляются сверху к горизонтально расположенной балке с помощью прочных шурупов из высококачественной стали. Пристенная пергола из металла или дерева может организовать проход около дома. Она проста по конструкции, полностью завита девичьим виноградом, в ее конструкции нужно предусмотреть «окна», незаплетенные виноградом прогалы, пропускающие свет в окна дома.

Перголы могут быть двухрядными и однорядными. При строительстве однорядной перголы перекладины укладываются непосредственно на балки и закрепляются на них, иногда однорядная пергола может состоять только из двух частей: столбов и балок.

Динамичная, или направленная, пергола ведет из одного пространства в другое, ее можно сравнить с неким коридором, она приближает передний план перспективы. Статичная пергола может быть отдельно стоящей, а может быть пристенной, тогда ее горизонтальные балки одним концом прикрепятся к стене.

Эту деревянную перголу освоил амурский виноград.

Из металла могут быть сделаны красивые и изящные перголы.

Однорядная пергола из ошкуренных стволов деревьев выглядит очень оригинально, а при наличии умельца в семье и леса поблизости она будет абсолютно бесплатной. Такие «дикие» конструкции придают ухоженному саду определенный шарм.

Столбы перголы совершенно не обязательно должны располагаться по прямой линии, хотя чаще всего бывает именно так. Они могут образовывать часть круга или даже синусоиду.

ЗАДАЧИ, РЕШАЕМЫЕ С ПОМОЩЬЮ ПЕРГОЛ

Может быть, потому, что перголы изначально появились в солнечных странах, российские садоводы относятся к ним с опаской. Хотя Англию тоже трудно назвать жаркой страной, но перголы там используются повсеместно для зонирования участка и для перехода из одной зоны в другую.

Пожалуй, главное назначение перголы — создавать перекрытие над дорожкой, в этом случае она простирается от одного садового элемента до другого и является чередой связанных между собой арок или неким полупрозрачным тоннелем. В конце перголы мы должны видеть нечто, вызывающее желание прогуляться под ее сводами и дойти до расположеной в этой фокусной точке — дерева, скульптуры, солнечных часов. Пергола может вести к беседке или спортивной площадке, использоваться как крытый переход к автомобильной стоянке.

Как хороша однорядная пергола, поставленная в нужном месте сада! Длинная однорядная пергола может разделить участок на две неравные части, например, отделить входную зону от другой, более интимной. Такая опора является одной из лучших для лиан вообще и для плетистых роз в частности. Однорядные перголы по непонятным причинам, к сожалению, редко встречаются в подмосковных садах, хотя это невероятно эффектная и достаточ-

но простая в изготовлении опора для лиан. Столбы, поставленные через одинаковое расстояние, соединяет горизонтальная перекладина из того же бруса, что и столбы. В нее врезаны небольшие поперечины из более тонкого бруска. Промежутки между соседними столбами заполнены рамами с сетчатым экраном, выполненным из деревянных же реек. Пергола выкрашена в хороший светло-зеленый цвет и состоит из пяти секций слева от арки и пяти секций справа от нее, каждая секция и арка имеет ширину 1,5 м.

Пергола хорошо справится и с другими ролями, например, с такой важной, как создание уютной зоны отдыха. Если вам нужно создать в каком-то месте сада уединенную атмосферу, то организуйте горизонтальную

Столбы перголы чаще всего располагаются по прямой, но могут образовывать и окружность.

Боковые стенки перголы, сделанные из жердей, весьма оригинальны.

длиной 9 м и шириной 3 м. Выбор именно этого решения подсказывали и лианы, мощный десятилетний куст амурского винограда и желтолистный хмель. Лианы пойдут по перголе с двух противоположных сторон и быстро заплетут ее, полностью устранив столь неприятный эффект новодела и создав уютную и привлекательную зону отдыха, откуда можно любоваться красивым видом на большой миксбордер вокруг газона. Столбы этой перголы выполнены из бруса со стороной 10 см, такой же брус лежит сверху каждого из двух рядов столбов, соединяя их. Высота столбов перголы 2,5 м, под каждый столб сделан фундамент глубиной 60 см. Каждый ряд столбов соединен между собой с помощью бруса, этот же брус жестко соединен со строениями по обе стороны перголы. Поперек этих двух рядов столбов достаточно часто, на расстоянии около 50 см друг от друга лежат поперечины, вертикально поставленные доски с поперечным сечением 5 x 15 см, образуя прозрачную крышу, которую летом закрывают виноград с хмелем. Эти поперечины выступают за уровень столбов на расстояние около 1 м. Чтобы конструкция перголы получилась жесткой, поверх ее прозрачной крыши, в горизонтальной плоскости зигзагообразно проложена металлическая перфорированная строительная полоса, начиная от одного строения через всю перголу и до другого строения. С земли эта лента не видна. Конструкция любой перголы должна быть жесткой и прочной, чтобы выдерживать немалый вес лиан и быть безопасной для находящихся внутри нее людей. У этой зоны отдыха, конечно, есть «пол». Он выполнен из плоского рваного камня толщиной около 5 см на песчаной подушке, промежутки между камнями засыпаны мелким гравием.

плоскость над ним, ее могут образовать крона дерева или большой зонт, прозрачная крыша перголы подойдет идеально.

В молодом саду, где деревья еще не подросли, именно перголы в первые годы жизни сада создают объемы. Они вводят в дизайн вертикальные возвышающиеся элементы, преображая пока невыразительный плоский вид сада.

На большинстве садовых участков зачастую есть беспорядочно разбросанные постройки, которые разумнее всего сгруппировать. Рассмотрим для примера, как пергола может объединить два строения, между которыми находится пустое пространство

Один из эффектов, который может дать пергола, это игра света и тени на мощении.

Столбы перголы выполнены из кирпича, их соединяют горизонтальные балки из бруса, поперечины сделаны из жердей.

*Столбы могут быть не сплошными,
а выполненными из реек.*

Пристенная пергола, примыкающая к дому и служащая своеобразным подъездом к нему, скроет вас от посторонних взглядов соседей, живущих в 2–3-хэтажных

Главная опасность, которая подстерегает любителя растений, — это посадить около каждого столба по лиане, причем непременно разного вида или сорта. Не делайте этого! Пергола должна быть прозрачной, не стоит увивать все столбы, пусть какие-то останутся свободными, хотя... Если вы коллекционируете лианы и решили использовать перголу как витрину для лучших из них, то пергола с плетистыми розами или с клематисами, или княжиками, или лиановидными жимолостями будет не только демонстрировать «жемчужины» вашей коллекции и украшать сад, но и покажет отличия одного сорта от другого, поможет подобрать наиболее интересные сорта. Такой цели служит пергола в Аптекарском огороде в Москве, около ее столбов можно полюбоваться на разные лианы, снабженные этикетками для того, чтобы можно было опознать их вид.

Рядом с вертикальными опорами в саду должны расти не только лианы, но и растения с вертикальной формой соцветий (наперстянка, коровяк, дербенник, горец и т.п.), которые подчеркнут вертикальные линии перголы, а для создания контраста — растения с мягким, разваливающимся габитусом (манжетка, полынь, котовник, лилейник и т.п.).

Перголы, умело структурируя садовое пространство, делают его более привлека-

> Конструкция перголы должна быть рассчитана на вес зеленой массы растений, увивающих ее, быть жесткой, прочной, надежной и устойчивой к порывам ветра, то есть быть безопасной для людей, находящихся внутри нее либо проходящих сквозь нее.

домах напротив. Пергола может быть доминантой цветника, в том числе и цветника на склоне.

тельным. Любой сад, велик он или мал, независимо от стиля, в котором он сделан, только выиграет от появления в нем перголы.

Однорядная пергола может играть роль доминанты цветника на подпорной стенке.

Конструкция перголы должна быть жесткой, прочной и надежной, чтобы выдержать вес увивающего ее винограда и быть безопасной для людей, находящихся внутри.

Элементы перголы над местом отдыха и садовая мебель сделаны из дерева, выкрашенного в один и тот же цвет, получилось очень стильно.

К сожалению, однорядные перголы редко встречаются в подмосковных садах, хотя это эффектные и достаточно простые в изготовлении опоры для лиан.

Белые столбы перголы, поставленной по периметру зоны отдыха, выполнены из кирпича и оштукатурены, их соединяют пролеты и поперечины из окрашенного в темный цвет дерева.

Такая пергола называется канатной. Ее столбы, здесь расположенные по окружности, соединены канатами.

Плетистые розы крепятся к канату с помощью бечевки или проволоки.

ОПОРЫ ДЛЯ ЛИАН

Вертикальное озеленение важно для любого сада, особенно небольшого, когда места мало, а посадить красивые растения хочется, тут лианы нас и выручают, им требуется совсем немного места на земле.

Лианы отличаются от других растений тем, что для нормального роста им нужны опоры. При отсутствии правильной опоры скорость роста побегов сильно замедляется. В саду «встать на ноги» лианам помогают специальные конструкции — арки, решетки или шпалеры, обелиски. К выбору опоры следует подойти очень ответственно: она должна не только соответствовать по цвету и стилю вашему дому и общей концепции сада, но и визуально подходить лиане, то есть быть крепкой и солидной для крупной тяжелой лианы или ажурной для лианы изящной, и непременно учитывать способ крепления лианы к опоре. По этому признаку лианы делятся на опирающиеся (например, плетистая роза), которые не умеют сами прикрепляться к опоре, их обязательно нужно подвязывать; корнелазающие, то есть те, которые прикрепляются к опоре с помощью корней (для средней полосы России это только гортензия черешковая); вьющиеся, те, которые обвивают опору (это самая многочисленная группа лиан — актинидия, лимонник, древогубец, вьющиеся жимолости, хмель и многие другие); усиконосные, это те лианы, которые крепятся к опоре с помощью усиков (девичий и другие винограды, душистый горошек); лианы — листолазы (клематисы и княжики), обвивающие опору черешками листьев.

Опоры могут отличаться по стилю и цвету в разных частях сада, но с одной видовой точки не должны быть видны, например, металлическая арка в стиле модерн и шпалера из грубо обработанных деревянных жердей в стиле кантри.

Не забывайте, что только красиво выполненная и грамотно расположенная опора преподнесет лианы в выигрышном свете, неудачная же опора скомпрометирует самое роскошное растение.

Опоры для растений, в частности арки, обелиски, садовые экраны или решетки, могут и должны не только поддерживать лианы, но и выполнять иные функции, например, разделять участок на зоны, что легко делает садовый экран. Арка может организовать переход из одной части сада в другую, решетка отвлечет взгляд от некрасивых или скучных мест в саду. Опоры с вьющимися растениями помогают оформить границы садового пространства, создать зеленую комнату из вьющихся растений, ограничить отдельную функциональную зону сада. Эти конструкции играют роль связующего звена между постройками и их садовым окружением.

Деревянные опоры в саду могут быть нейтрального натурального или коричневого цветов, хороши в саду опоры

По арке идет не лиана, а дуб 'Фастигиата'.

белого цвета, они фиксируют на себе внимание. Металлические арки можно покрасить в темно-зеленый цвет. Клод Моне красил свои металлические арки в голубой цвет.

АРКИ

Арка представляет собой сводчатое или прямое перекрытие, расположенное между двумя опорами. Эта опора чаще всего используется в садах, она делается из дерева или металла (иногда из кирпича или камня) и обвивается лианами. Арка должна правильно располагаться в саду — нелепо ставить ее посреди газона или сбоку от дорожки, она должна куда-то вести, сквозь нее проходят, через свод арки должно быть видно что-то очень привлекательное, например, красивый куст, дерево, статуя.

Высота и ширина арки должны позволять комфортно проходить и стоять под ней, вьющиеся растения, растущие на ней, не должны загораживать дорогу и цепляться за одежду и волосы. Исходя из этих соображений, минимальная ширина арки должна быть 1,2–1,5 м, а высота не менее 2,1–2,2 м. Конечно, у арки должна быть «толщина», боковая стенка, около которой, собственно, и будут расти лианы. Ее минимальная величина 50 см. Форма свода арки может быть самой разнообразной: круглой, прямоугольной, треугольной, вытянутой готической. Знаменитые голубые арки Клода Моне в его собственном саду в Живерни очень широкие, они словно наполняют воздухом пространство под ними. Очень интересно, когда к арке примыкают не лианы, а кустарники или даже деревья, например, чубушники, можжевельники, сорт дуба 'Фастигиата'. Конечно, те ветки, которые заходят внутрь арки, выстригают.

Арка может быть и квадратной, особенно если эту же форму имеют и плиты мощения.

Если арка имеет достаточную толщину, очень неплохо закрыть ее тонкой металлической решеткой, так растениям будет удобно подниматься по ней вверх. Над дорожкой, идущей от калитки, может располагаться сразу несколько арок, поставленных через определенное расстояние.

Вход на участок дает нам первое представление о саде и, конечно, о его хозяевах. Отнеситесь к его оформлению со всей ответственностью, аккуратность — это минимальное требование. Уже стало банальностью сравнивать вход в сад с визитной карточкой, постарайтесь оформить его достойно. Не бойтесь экспериментировать с лианами, постарайтесь сделать вашу калитку приветливой и симпатичной. Традиционным является вариант, когда калитка оформляется с помощью арки, которая в этом случае должна сочетаться с дизайном забора и ворот. Смотрится это мило и уютно.

Роль обелиска может сыграть ствол дерева, отжившего свой век.

ОБЕЛИСКИ, КОЛОННЫ

С помощью обелисков мы организуем вертикали в саду. Они могут быть опорами для 1–2 плетистых роз, душистого горошка или другой не очень большой и тяжелой лианы, например, княжика или вьющегося аконита. Рекомендуемый диаметр обелиска — 0,4–0,8 м, высота — 1,7–3 м. Обелиск может иметь не только цилиндрическую, но и пирамидальную форму.

Роль обелиска может сыграть столб или ствол засохшего дерева. Не уничтожайте старое дерево, которое росло в нужном вам месте сада, дайте ему вторую жизнь, посадив рядом кустарниковую лиану, не требующую снятия с опоры. Если вы решили «оживить» ваше старое дерево с толстым стволом, используя для этой цели какую-либо об-

Обелиск может быть не только цилиндрической, но и пирамидальной формы.

Минималистской прямоугольной арке из бруса лианы не нужны.

Эта арка имеет явно выраженный японский акцент.

Очень широкие голубые металлические арки в знаменитом саду Клода Моне в Живерни.

Здесь арку образуют два куста чубушника.

вивающую опору лиану, нужно помочь ей прикрепиться к дереву — либо с помощью шнуров, либо пластиковой сеткой с ячейками любого размера.

Можно придумать обелиск и для декоративного огорода, например, сплести его из ивовых прутьев и украсить лиановидной настурцией и высокими помидорами.

Если обелиск красив и без лианы, то она может быть ажурной. В том случае, если это просто технологическая опора, не представляющая художественной ценности, например, простая сварная конструкция из прутьев типа колонны, убира-

ющаяся на зиму, то главное требование к ней — быть прочной. Она устанавливается в саду, к ней крепятся перезимовавшие плети роз, летом они покрываются листьями, а потом и цветами и полностью ее закрывают, получается невероятное, просто фантастическое зрелище. При выращивании роз таким способом есть всего одна проблема — снятие их с опоры на зиму.

САДОВЫЕ ЭКРАНЫ, ШИРМЫ, ТРЕЛЬЯЖИ, РЕШЕТКИ

В общем-то, все эти названия — синонимы, они обозначают опоры, представляющие собой плоские конструкции чаще всего прямоугольной формы, но могут быть и в виде веера, и полукруглыми сверху. Садовые экраны могут быть разных стилей, главное, чтобы их стиль сочетался со стилем дома и сада. Шпалеры и трельяжи используются для выделения в саду отдельных зон, обособления отдельных его частей. С помощью этих элементов можно изолировать детскую площадку, огород, хозяйственную зону, создать закрытое с нескольких сторон пространство вокруг скамейки или площадки отдыха.

Красивы в саду большие экраны, которые отделяют одну зеленую комнату от другой или даже огораживают весь сад. Они создают уютные уголки в саду и маскируют не очень привлекательные места, украшая сад прекрасными лианами и занимая совсем немного места на земле, кроме того, решетки, увитые лианами, дают тень и защищают от ветра.

Очень оригинальным экраном, играющим роль садового ограждения, любовалась я в одном саду под Питером. Его владелица поставила огромные круглые арки из металлической сетки в ряд вплотную друг к другу и увила конструкцию девичь-

Вертикальные линии арок должны визуально поддерживать вертикали растений, в данном случае наперстянок.

Роза на 4-метровой колонне, сварной конструкции из металлических прутьев.

Для декоративного огорода сплели обелиск из ивовых прутьев.

Простой обелиск из жердей.

Здесь обелиск имеет форму четырехгранника.

Мощные клематисы почти полностью скрыли под цветами и листьями металлическую арку.

Клематис и арка — им так хорошо вместе.

Пик декоративности этой арки с девичьим виноградом — сентябрь, когда листья становятся пурпурными.

Над дорожкой может располагаться несколько арок.

Форма свода арки может быть любой, даже треугольной.

Садовый экран может иметь сложную линию верхней границы.

Жимолость Брауна плотно оплетает деревянную решетку.

Любой лиане понравится расти около решетчатой опоры.

им виноградом, визуально изолируя таким образом малосимпатичный пейзаж за границами участка.

Шпалеры или решетки для вьющихся растений могут крепиться на стене здания, к забору, между столбов перголы, они могут иметь обрамляющую раму. Изготавливают их преимущественно из дерева, иногда из металла, красят в белый, оливковый цвет или в цвет натурального дерева. Можно изготовить оригинальные решетки совершенно самостоятельно из подручного материала, собранного в лесу. Решетки могут играть роль стен беседки, закрывать проемы между столбами перголы, выполнять функцию забора.

Разделительным элементом в саду могут быть несколько столбов, соединенных канатами или цепями. Такую соединенную цепями колоннаду можно полностью завить все тем же девичьим виноградом, можно применить другие растения — клематисы или плетистые розы, тогда такая конструкция приобретет более изысканный облик. Такие импозантные канатные столбы с розами можно увидеть в Париже в саду Багатель или в Лондоне в Риджентс-парке, где они располагаются по кругу.

В саду вполне может не быть беседки, но скамейки должны быть обязательно. Человек так устроен, что ощущать себя комфортно он может только в том случае, если его тылы защищены, с этой ролью отлично справляются решетки, увитые лианами.

С помощью садовых экранов можно скрыть какие-то несимпатичные места в саду. Недорогим и, что немаловажно, быстрым способом декорирования может служить такая ширма: между двух столбов натягивается сетка рабица, закрепляется, сверху устанавливается половая крашеная доска. Размеры всей конструкции должны быть пропорциональными. На деле это

Интересный эффект получится, если в садовом экране предусмотреть круглое окошко, сквозь которое так приятно любоваться садом или окрестностями, получив роскошную живую картинку в рамке из растений.

можно сделать так: на натуре подбираете длину, высоту и доску до тех пор, пока не убедитесь, что поставленная вами задача решается и выбранные размеры смотрятся красиво. Например, ширма, увитая девичьим виноградом, скрывает компостный ящик и имеет такие размеры: длина 3,4 м, высота — 1,8 м, три столба — из оцинкованной трубы диаметром 3,2 см, деревянная доска сверху с поперечным сечением 12×4 см.

К сожалению, лиан в наших садах все еще очень мало. В лучшем случае при-

меняются девичий виноград и плетистые розы. Попробуйте освоить доступный богатый ассортимент лиан, активнее использовать их для украшения сада, подбирая приятные для глаза опоры для них. Красота не может возникнуть случайно, чтобы создать чудесный сад с вьющимися растениями, нужно обеспечить лианы подходящими условиями произрастания и необходимыми опорами, только тогда растения отблагодарят вас прекрасным внешним видом и великолепным цветением.

Белая металлическая садовая ширма с круглым верхом.

Эта ширма сделана из материала, собранного в ближайшем лесу.

Огромные круглые арки из металлической сетки, поставленные в ряд вплотную друг к другу и увитые девичьим виноградом, визуально отсекают пейзаж за пределами участка.

Решетчатый трельяж заплетен двумя видами клематиса.

Сидящему на скамье человеку комфортно, если его тылы защищены.

Садовый экран из березовых стволов с проемом выглядит очень концептуально.

ДЕТСКИЕ ПЛОЩАДКИ

При планировании дачной территории очень важно определить, из каких функциональных зон она будет состоять и какой эти зоны будут величины. Для взрослых членов семьи привлекательны места, предназначенные для отдыха, там обычно располагается беседка, находится барбекю, могут быть сооружены пруд или бассейн, но если в семье есть дети, то самым важным местом на даче становится детская площадка. У ребенка должно быть свое пространство, где он познает мир, обретает физические навыки и умения, выплескивает неуемную энергию.

ВЫБОР МЕСТА ДЛЯ ДЕТСКОЙ ПЛОЩАДКИ

Где лучше ее устроить? Детскую площадку для самых маленьких располагают поближе к дому, за малышами должен быть постоянный контроль, который вы сможете осуществить, сидя на скамье, расположенной рядом, либо наблюдая за играми из окон, если дети подросли. Не стоит располагать детскую зону около гаража или ворот, но вполне возможно расположить ее возле сплошного забора, оборудовав его соответствующим образом, например, веревочными лестницами или досками для рисования. Дети школьного возраста уже не нуждаются в постоянной опеке, поэтому их спортивно-игровая зона может располагаться подальше от дома.

Хорошо, когда на дачном участке есть возможность для подвижных детских игр. В небольших садах можно не разграничивать пространство и позволить детям бегать свободно, в большом саду лучше предусмотреть ограждение, которое даст детям ощущение секретности, в то время как они остаются на виду, под контролем. Живая изгородь высотой до 1 м ограничит владения ребенка и научит содержать их в порядке. Важно так спланировать сад, чтобы дети могли поиграть, не боясь помять клумбы или затоптать овощные грядки, для этого огораживают огород и клумбы либо участок для детских игр.

Основная задача при планировании пространства для детей — устроить то, что хотят именно они, а не взрослые. Сделать маленьких дачников счастливы-

Детскую площадку для самых маленьких устраивают близко от дома.

Простая деревянная песочница с маленькими скамеечками.

В эту песочницу с крышкой удобно складывать игрушки.

ми могут самые простые вещи, их порадует открытая площадка для игр на газоне, шалаш из ивовых прутьев, «велосипедная трасса», проложенная по периметру участка, которой может стать обычная дорожка шириной не менее 60 см с радиусом кривизны на поворотах не менее 2–2,5 м.

Детская площадка может примыкать к зоне отдыха, при этом ей не обязательно соответствовать стилю сада. Старайтесь сделать дачный детский уголок веселым и красочным как картинка из сказки, он должен ассоциироваться у ребенка с волшебством, дарить ему ощущение безопасности и уюта, пробуждать жажду творчества.

Чтобы малыши не перегрелись в жаркое лето, по крайней мере, половина детской территории должна находиться в полутени. Хорошо расположить детскую площадку под деревом, при недостаточном количестве тени над площадкой сооружают навес, устанавливают прочный матерчатый тент или зонт. Растения и сооружения не должны мешать наблюдать за детьми из окон дома.

Если в семье есть ребенок дошкольного возраста, то вблизи площадки не допускается наличие даже небольшого водоема, либо его поверхность тщательно укрывают прочной деревянной решеткой.

Если место, где предполагается расположить детскую площадку, находится на небольшом склоне, террасируйте его или максимально сгладьте перепад высот.

Следует учесть направление ветров и защитить площадку от сквозняков, если они есть, невысокой живой изгородью из неколючих кустарников. Нельзя располагать игровую зону в низине или в холодном месте — в тени дома или на северной стороне склона: весной там поз-

Детская площадка, покрытая гравием, окружена кустами неколючей и неядовитой лапчатки.

Если дети уже выросли, на старых качелях можно устраивать выставку растений.

дно тает снег, а почва после дождя долго не просыхает.

ОБЕСПЕЧЕНИЕ БЕЗОПАСНОСТИ

Детскую площадку нельзя окружать колючими растениями! Не сажайте здесь барбарис, шиповник, боярышник, аралию, терн, розы, шиповник, облепиху, грушу. Категорически нельзя сажать около детской площадки ядовитые растения, такие как дафна или волчник смертельный, бересклет, ракитник, крушина, аконит, наперстянка, барвинок, ландыш, морозник,

безвременник, жимолость татарская, дурман, паслен сладко-горький, рута, клещевина и пр. Сильный ожог у ребенка может вызвать ясенец, выделяющий в солнечную погоду летучие эфирные масла, волдыри могут появляться не только после того, как растение подержали в руках, случается, что ребенок обжигается, если подойдет к растению на расстояние около метра. Прекрасным обрамлением площадки будут такие кустарники, как лапчатка кустарниковая и спирея серая.

Едва научившись ходить, малыши все вещи пробуют на зуб, не позволяйте детям до 4 лет приближаться к ядовитым расте-

Бортики круглой песочницы сделаны из пластиковых чурбачков.

Песочница в русском стиле с белочкой на вершине деревянного зонта с кружевами.

Песочница ограждена от газона деревянными пеньками.

ниям, а детям постарше расскажите об особенно опасных растениях, например, о привлекательно выглядящих ядовитых ягодах ландыша, дафны и вороньего глаза. Научите детей различать опасные растения!

Обустраивая детскую площадку, в первую очередь помните о прочности и надежности установки игрового оборудования и правилах безопасности. На площадке не должно быть потенциально опасных мест, где ребенок может застрять, прищемить руку или ногу. У оборудования не должно быть острых углов, кромок, тор-

чащих болтов, места швов и соединений должны быть тщательно зачищены и отшлифованы. Дерево должно быть качественно отшлифованным, не иметь заусенцев и быть покрытым лаком.

Элементы крепления навесных и подвесных конструкций должны быть изготовлены из прочного металла и надежно соединять части конструкции. При эксплуатации садовых качелей, которые крепятся карабином к крюку, необходимо минимум раз в полгода проверять состояние этого крюка.

В небольшом пространстве рядом с лестницей уместилась горка-тоннель.

Не менее важно наличие защитных элементов, особенно это касается таких конструкций, как детские горки, у которых должны быть высокие борта.

Планируя детскую площадку, важно обратить внимание на цвет ее элементов. Насыщенные цвета привлекают детей, будят их воображение, делают игры интереснее. Яркие краски на игровой площадке настраивают ребенка на игру, привлекают его внимание, поддерживают тонус.

РАЗМЕР ДЕТСКОЙ ПЛОЩАДКИ

Рассчитывая площадь игровой зоны, учитывают количество и габариты игровых элементов, а также расстояние между ними, детская площадка должна получиться функциональной и безопас-

ной. Считается, что на каждого ребенка до 7 лет нужно выделить площадь 8–9 м², от 7 до 12 лет — 13–15 м².

Перед горками, пандусами и лестницами необходимо оставить свободную полосу для забега. Вокруг таких конструкций, как качели и качалки, предусматривают зону безопасности шириной не менее 2 м. Для установки качелей потребуется площадь около 15 м². Под пружинные качалки отводят 8–10 м², для отдельно стоящей горки нужно еще 15 м². Готовый игровой комплекс занимает меньше места, чем разрозненные конструкции, для его установки необходимо минимум 15 м².

ПОКРЫТИЯ ДЕТСКОЙ ИГРОВОЙ ЗОНЫ

Покрытие игровой зоны должно смягчать падение, здесь не используют кирпич или плитку. Наименее хлопотный в эксплуатации вариант покрытия — наливной бесшовный травмобезопасный пол из цветной резиновой крошки, который может иметь любую конфигурацию и легко укладывается на любом рельефе. Преимущества этого покрытия — долгий срок службы, ровная упругая поверхность без швов, хорошая водопроницаемость, разнообразная цветовая гамма. Обычно покрытие имеет толщину 1–2 см, в зонах риска возможно устройство специальных «подушек безопасности» толщиной до 10 см. Наливное покрытие не нуждается в уходе, его можно подметать и промывать водой из шланга. Дети могут играть на такой площадке сразу после дождя, пористое покрытие пропускает воду.

ОСНАЩЕНИЕ ДЕТСКОЙ ПЛОЩАДКИ

Самым маленьким ни к чему большая площадка, насыщенная сложным игровым оборудованием, им достаточно лужайки, песочницы, скамейки и неглубокого надувного бассейна. Детям 3–6 лет уже нужны качели, горки и простые спортивные снаряды. Детской площадке для детей от 6 до 12 лет требуется более сложное оснащение — крепости, избушки, пиратские корабли, смотровые вышки, домики на дереве с веревочной лестницей. С 12 лет ребенку понадобится спортивная площадка. Для нее придется подыскать новое место в саду, уже подальше от дома, подростки предпочитают природные материалы, естественные цвета и обособленные территории в глубине участка. Когда дети вырастают, старую детскую площадку переоборудуют в обычный уголок сада, разбивая на этом месте клумбу или водоем, а можно придумать и другой вариант — например, сделать садовую инсталляцию, устроив на старых детских качелях постоянно обновляемую выставку лучших растений сада в горшках и вазах.

ПЕСОЧНИЦЫ

Самое простое, что можно придумать на даче для малыша, — это песочница. Казалось бы, совсем маленькие умеют лишь просеивать песок сквозь пальцы да ломать «испеченные» мамой или бабушкой куличики, но такие забавы важны для малышей, они развивают у них тактильные ощущения и мелкую моторику. Со временем дети научатся зачерпывать песок совком, насыпать его в ведерко или формочки, потом строить башни и замки. Рисуя на песке буквы, можно учить малышей азбуке. В общем, песочница — не только приятно, но и полезно.

Сборная песочница-каркас состоит из отдельных частей, которые соединяются в прямоугольник (реже в шестиугольник

или круг), после чего внутрь насыпается песок. Преимуществом такой конструкции являются, во-первых, простота, достаточно защелкнуть между собой составные части, во-вторых, в центр из-за отсутствия дна можно вставить держатель для зонта, который даст малышу тень в жаркий летний день. На зиму песочница разбирается и занимает немного места при хранении.

Цельнолитая песочница может служить ребенку и маленьким бассейном, если ее наполнить не песком, а водой.

Хорошо, если у песочницы есть крышка. Спрятанный под нею песок будет недо-

Деревянная скамья-качели — настоящее произведение искусства.

ступным для кошек и чистым, а после дождя малышу не придется ждать, пока в песочнице высохнут лужи. Песочницы «два в одном» еще практичнее. Они состоят из двух емкостей — в одну насыпается песок, в другую наливается вода, и малыш получает настоящее «море» с песочным пляжем. После игры вода сливается, и бывший бассейн становится крышкой для песочницы. Очень удобно — можно одновременно играть с песком и водой, да и крышка не мешается и не занимает места. Какой бы ни была конструкция песочницы, малышу будет удобней, если на ее бортиках есть посадочные места.

Еще один вариант песочных забав — игровые столы-песочницы, у которых под съемной столешницей расположены не только мини-песочница, но и резервуар для игр с водой, — можно брызгаться и пускать кораблики. При желании песочницу можно снять с ножек и поставить на землю. Главные достоинства игровых столов — компактность, для них не нужно искать место на участке — стол поместится везде и даже в помещении, если на улице слишком жарко или пошел дождь. По окончании песочно-водных развлечений стол закрывается, на нем можно порисовать или поиграть. При транспортировке

Учить малыша держаться на воде можно почти с самого рождения, заниматься плаванием на свежем воздухе очень приятно.

ножки могут сниматься и убираться внутрь стола.

Хорошие материалы для песочницы — пластмасса или дерево. Вы можете купить готовую песочницу или сделать ее из досок самостоятельно. Площадь песочного ящика обычно не превышает 2 м², в принципе достаточно и размера 1×1м. Глубина песочницы составляет 30–40 см. Если борта песочницы сплошные, то находящийся в ней песок не будет рассыпаться вокруг. Верхние кромки бортов лучше закрыть досками так, чтобы они образовали небольшие скамеечки.

СТОЛ СО СКАМЕЕЧКАМИ

На миниатюрном столе со скамеечками ребенок сможет разложить игрушки, настольные игры, конструктор. Пластиковая дачная мебель для малышей яркая и красивая, легкая, она долго сохраняет внешний вид и хорошо моется, хороша и мебель из дерева. Есть столики, меняющие высоту столешницы, складные модели удобно хранить и перевозить. Все конструкции должны соответствовать возрасту, росту, весу и физическим возможностям ребенка.

КАЧЕЛИ

Качелями, или качалками оборудуются кроватки, стульчики, игрушечные лошадки и машинки для самых маленьких. Никогда не пустуют качалки и качели во дворах и в детских садах. Почему же на даче не дать возможность ребенку и его приятелям вдоволь покачаться? Раскачивание, «взлеты и падения» способствуют развитию вестибулярного аппарата ребенка, улучшению координации движений, заряжают хорошим настроением. Чтобы ребенка не укачало, не злоупот-

Из детского домика в виде избушки на курьих ножках можно спуститься, съехав с горки более чем двухметровой высоты.

ребляйте качелями и качалками в жару и сразу после еды.

Детям особенно нравятся качели, подвешенные к толстому суку дерева. Если в саду есть подходящее дерево с удобной крепкой ветвью диаметром около 15 см, растущей на высоте 1,8–3 м, можно купить качели, предназначенные для установки на дерево или соорудить их самостоятельно, используя канат, крепкую веревку или нейлоновый шнур и несколько очищенных досок. Для этого возьмите два куска веревки и сделайте на одном их конце петли. Перебросьте концы веревки с петлей через ветку, пропустите веревку через петли и затяните их на ветке. Другие концы веревки пропустите через отверстия в сиденье и свяжите двойным узлом. Установите сиденье таким образом, чтобы оно не ка-

Дети обожают игровые домики, в них можно прятаться, играть, секретничать с друзьями.

салось ствола дерева. Вместо обычного сиденья для качелей иногда подвешивают старую покрышку от автомобиля, в этом случае для горизонтального подвешивания потребуются четыре веревки, привязанные к покрышке на равном расстоянии друг от друга.

Для малышей качели должны быть невысокими, а сиденье максимально безопасным)) — для него обязательны спинка и поперечная перекладина с упором для детских ножек, чтобы малыш случайно не съехал с него. Для «взрослых» детей достаточно и перекладины.

Если в саду нет подходящей крепкой ветки, простые и доступные садовые качели можно построить самим. Вот один из возможных вариантов. Для него понадобятся две стойки диаметром 12 см, длиной 2,9 м; поперечина диаметром 12 см, длиной 1,5 м; два крюка; доска для изготовления сиденья толщиной минимум 24 мм, шириной 15–20 см и длиной 1 м; прочный пеньковый канат или капроновый трос длиной около 6 м.

Стойки качелей нужно устанавливать с особой тщательностью. Перед установкой пропитайте их нижнюю часть антисептиком. Ямы после установки стоек тщательно забейте щебнем или битым кирпичом. Вкопайте стойки на расстоянии 1,5 м друг от друга, заглубляя их на 0,9 м. При установке качелей на песчаной или другой рыхлой почве рекомендуется усилить стойки подпорками, их врезают в стойки на высоте 1 м и прибивают гвоздями; заглубляют подпорки на 0,5 м. Поперечину соединяют со стойками, для большей прочности их дополнительно скрепляют стальной полосой.

Качалка-балансир в виде доски с сиденьями по обеим сторонам предназначена как минимум для двоих детей, которые с энтузиазмом будут качаться наперевес, поднимая и опуская друг друга, для одного ребенка ее устраивать не стоит.

Нехитрое, но забавное приспособление — качалка на пружине. Ребенок раскачивается во все стороны и подпрыгивает, сидя верхом на лошадке, петушке, мотоцикле или внутри кораблика, машинки, паровозика, в основании которых находится упругая пружина, вкопанная в землю. Управлять такой игрушкой детям очень интересно.

ГОРКИ

Катание с горки — веселая забава для малышей. Горки для самых маленьких тоже маленькие, легкие (4–8 кг) и компак-

Нарядный детский домик – настоящее украшение сада.

Какой мальчишка или какая девчонка откажутся поиграть на такой площадке?!

тные, они просто и быстро собираются, разбираются или складываются, что позволяет их переносить, перевозить, хранить и использовать как на улице, так и дома (в сложенном виде горка помещается даже в шкафу). Высота горки для малышей не более метра (чаще всего 50–70 см), она имеет пологий спуск, который обязательно ограничен бордюрами (чем они выше, тем безопаснее) и плавно заканчивается на земле. У лестницы должны быть широкие ступени, расположенные на небольшом расстоянии друг от друга, хорошо, если они покрыты противоскользящим покрытием, особенно если дети забираются на горку босыми мокрыми ногами, на ступени можно наклеить специальные противоскользящие полоски. На лестнице обязательно наличие поручней, которые не должны заканчиваться на уровне самой верхней ступени, даже стоя на ней, малышу нужно за что-то держаться. Наиболее безопасна конструкция, когда верхняя площадка горки достаточно широкая и огорожена по бокам.

Для дошкольников от 3 до 7 лет лучше выбрать горку высотой до 1,5 м, школьники могут кататься с горки высотой 2–2,5 м и выше. Лестница для этой возрастной категории может представлять собой всего лишь перекладины, но наличие удобных поручней так же обязательно. Съезжать с горки интереснее, если ее желоб не плоский, а волнистый, к тому же заканчивающийся небольшим трамплином.

В жару приятно прямо с горки скатиться в бассейн. Можно пустить по желобу воду из садового шланга, скользить по мокрому спуску приятнее, а от брызг детям одно удовольствие.

ДЕТСКИЕ НАДУВНЫЕ БАССЕЙНЫ

Дети очень любят воду, поэтому летом можно установить небольшой бассейн. Учить малыша уверенно держаться на воде можно почти с самого рождения, а заниматься плаванием на свежем воздухе гораздо приятнее, чем в бассейне поликлиники. Ребенок будет в восторге от того, что сможет купаться сколько захочет. Обучать детей плаванию рекомендуется на глубине не более 50 см. Если малыш хорошо держится на воде, подойдет бассейн глубиной 80 см. Для этих целей используют небольшой надувной бассейн, удобный тем, что его можно перемещать по участку.

ИГРОВЫЕ ДОМИКИ

Дети обожают игровые домики. Здесь можно прятаться, играть, секретничать с друзьями. На собственной, хоть и игрушечной жилплощади дети полноправные хозяева. Самый простой и дешевый вариант детского жилища — складные тканевые домики-палатки, которые легко «возводятся» благодаря металлическому каркасу. Несколько мгновений — и готов индейский вигвам, лесная пещера, королевский дворец, шатер или даже автобус. У многих таких домиков есть дверца-полог, окошки, лазы. Складные домики-палатки могут использоваться для детей разного возраста, это вполне доступное по цене «жилье».

Внутри пластиковых сборных домиков есть откидной столик, стульчики, нарисованная на стенах и обозначенная рельефом игрушечная мебель, соответствующая сюжету утварь. Войти в него можно через настоящую открывающуюся дверь, есть здесь и окошки со ставнями. Двухэтажные домики-горки вполне могут заменить собой игровую площадку.

Яркие краски на игровой площадке настраивают ребенка на игру, привлекают его внимание, поддерживают тонус.

Можно сделать игровой домик из бывшего сарайчика. На первом этаже организуйте пространство для тихих игр, на втором этаже устройте смотровую вышку, забраться на которую можно по наружной лестнице, а спуститься — съехав по желобу более чем с двухметровой высоты.

Иногда непросто увязать детский домик с общим видом сада. Сделайте его либо украшением сада, либо вынесите за пределы просматриваемых зон.

Если на территории дачи есть большое старое дерево, сделайте вместе с детьми на нем домик или шалаш и укрепите канат или веревочную лестницу, с помощью которых они будут в него попадать.

Управлять качалкой на пружине детям очень интересно и полезно.

Дартс, корзина для баскетбола, детская боксерская груша на стойке продаются и отдельно, при желании дачный спортзал можно дополнить столом для настольного тенниса.

Как альтернативную летнюю «жил-площадь» для ребенка можно рассматривать шалаш. Вот простая инструкция его сооружения.

1. Нарежьте весной или в первой половине лета гибкие прутья ивы длиной 2–3 м.

2. На солнечном месте или в полутени разметьте круг и выкопайте канавку на ширину и глубину штыка лопаты. Вскопайте дно канавки, посадите туда прутья, засыпьте плодородной землей и полейте. Вершины прутьев свяжите вместе. Хорошо уплотните землю, сверху замульчируйте.

3. В получившиеся стенки шалаша по горизонтали вплетите более тонкие прутья.

4. Первые несколько недель регулярно обильно поливайте ивовые прутья, тогда они пустят побеги. Регулярно вплетайте их по горизонтали в каркас, в результате получатся настоящие заросшие зеленые стены.

ДЕТСКИЙ ИГРОВОЙ ЦЕНТР

Сейчас все больше спортивно-игровых конструкций делается из легкого и прочного пластика, устойчивого к воздействию солнца и перепадам температур, не линяющего под дождем, простого в уходе и служащего не один дачный сезон. Пластиковые игровые элементы, как правило, складные или разборные, для их сборки и установки не нужно особого умения и специальной подготовки. На зиму большая часть оборудования убирается с участка.

В игровом центре есть все — горка, качели, «норки», лестницы, даже мини-скалодром, имитирующий стенд-тренажер для скалолазания с зацепками и отверстиями-ступенями, по которым можно карабкаться вверх. Игровые центры по размерам и сложности элементов соответствуют разным возрастным категориям детей. В самом простом варианте центр представляет собой пластиковое сооружение из четырех панелей-стен, по которым и сквозь которые можно лазить, к одной секции присоединяется горка. Есть игровые центры, имеющие тематическую направленность — они стилизованы под паровоз или корабль с капитанским мостиком, со штурвалом и мачтой для флага. Основу спортивно-игровых комплексов составляет металлический каркас, на котором в разных вариантах крепятся качели, турник, канатная лестница, сетки для лазания, гимнастические кольца и т.д.

Дачный тренинг-центр позволит детям провести лето весело и с пользой для здоровья. Силовые снаряды развивают силу рук и ног, ловкость, сноровку и уверенность в движениях. Входят в комплект баскетбольный щит с корзиной и дартс.

Дартс, корзина для баскетбола, детская боксерская груша на стойке продаются и отдельно, при желании дачный спортзал можно дополнить теннисным столом, детским набором для боулинга или гольфа и т.п.

В копилку спортивно-игровых элементов для дачи можно добавить и батут. Он прост — поверхность для прыжков врастяжку на пружинах присоединяется к стальной раме (круглой или прямоугольной), к ней же привинчиваются ножки с противоскользящими насадками. Места соединения пружин с рамой закрываются мягким защитным чехлом. Батут занимает

Что именно и в какой комплектации установить на дачной детской площадке, решают родители в соответствии с возрастом ребенка, его физическим развитием и темпераментом, свободным местом и материальными возможностями семьи.

Дачный тренинг-центр позволит детям провести лето весело и с пользой для здоровья.

немного места, легко и быстро собирается без использования инструментов, устойчив, безопасен, развивает координацию движений, дарит приятную физическую нагрузку и максимум хорошего настроения. Он предназначен для детей от 2–3 лет. Батуты бывают складными, в сложенном виде они компактны, упаковываются в сумку, их удобно перевозить и хранить. У нескладных — цельная рама, не имеющая мест сложения и сочленения. Батут должен быть установлен на ровной поверхности, на нем нельзя одновременно прыгать двум и более детям. Дополнительной страховкой является натяжная сетка, ог-

раничивающая батут по периметру, свалиться оттуда невозможно. Детские батуты бывают разного диаметра — от 0,9 до 1,4 м, даже 3 м.

Что именно и в какой комплектации установить на дачной детской площадке, решают родители в соответствии с возрастом ребенка, его физическим развитием и темпераментом, свободным местом и материальными возможностями семьи. Кто-то выберет тихий уголок с песочницей, качелями, горкой и домиком. Другие предпочтут спортивный зал под открытым небом с лестницами, тоннелями, батутом, турником и баскетбольным кольцом.

УСТРОЙСТВА ДЛЯ ПТИЦ В САДУ

Нужны ли нам птицы? Вопрос звучит странно и ответ на него очевиден. Птицы — естественные враги насекомых-вредителей, только с их помощью можно сделать сад здоровым. Приведу несколько известных фактов: большая синица съедает за сутки столько насекомых, сколько весит сама, один скворец за время выкармливания птенцов уничтожает около 8 тысяч майских жуков и их личинок, а певчий дрозд за это время съедает около десяти тысяч гусениц, мух и улиток.

Было бы неправильно сводить все только к простой пользе, птицы в саду — не только безопасное и бесплатное средство борьбы с вредителями, они дают нам радость общения с живой природой. Птицы — чудесные создания, радующие нас и отвлекающие от грустных мыслей и повседневной рутины. Проснуться летним утром под пение птиц в собственном саду — это счастье. Не пожалейте времени, потратьте несколько минут, наблюдая за птичьей суетой из окна или с укромной скамейки. Если же вы живете за городом постоянно,

то птицы, пожалуй, главное украшение вашего заснеженного зимнего сада.

Мы старательно наполняем свои сады растениями, обычно предоставляя нашим помощникам и столь совершенным созданиям, как птицы, населять его самостоятельно, без нашего участия, хотя фауна не менее важна, чем флора, и только создав в саду экологическое равновесие, можно уменьшить или полностью исключить применение химических средств для уничтожения вредителей. Если мы посадим такие деревья и кустарники, как бузина, калина, рябина, ирга, магония, золотистая смородина, рябинник рябинолистный, жимолость татарская, спирея, лещина, боярышник и др., то не только привлечем птиц, дав им пищу и кров, но и украсим сад. Нравятся птицам и колючие кустарники, где они чувствуют себя в безопасности, такие как шиповник, барбарис, лох, боярышник, белая акация, терн и пр. Плотные живые изгороди из туй и можжевельников помогают птицам укрыться от хищников и спасают в морозные зимы.

ПТИЧЬИ КОРМУШКИ

Можно привлечь птиц, установив круглогодичные или зимние кормушки.

Металлическая кормушка украшена металлической же птичкой.

Фарфоровый голубь поджидает птиц настоящих.

В теплое время года рацион птиц разнообразен, в зависимости от вида в пищу идут насекомые, ягоды, фрукты. Чтобы спасти птиц, зимующих в саду, развесьте кормушки и регулярно наполняйте их разными семечками, самые любимые — подсолнечные, богатые маслами и углеводами. Синичек подкармливают также арбузными, тыквенными семечками и кусками несоленого сала, укрепленного на дереве с помощью проволоки. Пернатые, прилетающие зимой к кормушке, скорее всего, именно в вашем саду выведут птенцов. Кормушки могут быть примитивными, из обыкновенной пластиковой бутылки или представлять собой авторский шедевр — дизайн и цвет для голодных птиц не важен, но если вы хотите оставить кормушки на лето, то они должны украшать сад и быть симпатичными. На случай нападения мелкие птицы должны иметь круговой обзор и путь к отступлению. Каждую весну кормушки нужно тщательно чистить.

ПТИЧЬИ ДОМИКИ

Для гнездовий птицам нужны разнообразные «квартиры» — тем видам, которые в природе живут в дуплах, понравятся скворечники, некоторые птицы вьют гнезда на ветках деревьев на различной высоте, в моем саду воробьи гнездятся под крышей, найдя небольшое отверстие в месте стыка фронтона и кровли. Можно купить готовые домики для птиц или сделать их самостоятельно, главное установить их так, чтобы они обеспечивали защиту от дождя и солнца, а также от кошек, белок и хищных птиц. Желательно каждую осень чистить скворечники. Надежный кров птицам могут обеспечить и кустарники, они же дадут им корм зимой в виде ягод и насекомых, зимующих под опавшими сухими листьями.

Милая деревянная кормушка в зарослях монарды — настоящая летняя идиллия.

Хозяева сада не забывают наполнять кормушку не только летом, но и зимой.

Деревянная кормушка установлена на пне.

На одном подмосковном участке соловей устроил гнездо в керамическом подсвечнике из ИКЕА, повешенном в беседке, он вывел и выкормил там птенцов, сдвинув в сторону две маленькие свечки в металлическом корпусе, поставленные там. Конечно, ему повезло с хозяевами сада, которые на это время прекратили пользоваться беседкой как местом отдыха, только мне разрешили тихонько войти и сфотографировать момент кормления птенцов.

Мне, так же как и вам нравятся ухоженные сады, но если вы, сгребая опавшие листья с газона, засыплете ими миксбордеры, а также приствольные круги деревьев и кустарников, то газону и аккуратности сада это не повредит, но поможет перезимовать и растениям, и птицам. Оставьте на зиму не срезанными злаки и некоторые другие многолетники с семенами, несколько яблок (не гнилых!) на дереве, это поможет птицам продержаться до весны.

ПТИЧЬИ ПОИЛКИ И ЧАШИ ДЛЯ КУПАНИЯ

Вода для питья и купания необходима всем птицам. Если у вас есть водоем, он с успехом исполнит роль птичьей поилки и купальни, если его нет, поставьте небольшую чашу с чистой водой на высокой гладкой ножке, это обезопасит птиц от кошек, ваших собственных или приблудных. Дождевая вода или вода из пруда для птиц предпочтительнее водопроводной, старайтесь, чтобы она была доступна постоянно. Птичья поилка — замечательное садовое украшение, пока она редко встречается в российских садах, а ведь может стать эффектным центром садовой композиции. Это каменное, металлическое или бетонное сооружение с неглубокой широкой чашей на постаменте. Не забывайте время от времени менять воду и подливать ее в засушливые дни — птицы будут вам благодарны.

Да, химические средства защиты действуют быстро, но они губительны для населения сада, накапливаются в почве, воде, растениях, а в конце концов и в нас с вами. Может быть, стоит смириться с тем, что птицы съедят немного плодов и ягод, приняв меры защиты урожая с помощью развевающихся лент из фольги, стеклянных шаров, симпатичных чучел, мелких натянутых сеток. Есть несколько способов отпугивания птиц, к сожалению, ни один из них не обладает стопроцентной эффективностью, птицы быстро привыкают к постоянно действующим раздражителям, поэтому способы борьбы нужно постоянно менять. Давайте будем экономить на ядохимикатах, предохраняя себя и свою семью от непредсказуемых отдаленных последствий их применения в саду.

ПТИЧИЙ ОСТРОВ

Можно так спланировать дизайн сада, что он станет привлекательным для птиц самых разных видов. С детства нам известно, что некоторые виды птиц являются перелетными — осенью они улетают в дальние теплые страны на зимовку, а весной возвращаются обратно. Если так случилось, что ваш участок расположен на берегу старого пруда, где есть поросший растительностью небольшой плавучий остров, очень правильно сделать его птичьим. Из жердей можно сбить что-то типа изящного шалаша под шатровой «прозрачной» крышей и поставить по углам этого сооружения и в центре несколько скворечников на высоких шестах. Перелетные птицы с удовольствием садятся на этот безопасный остров, отдыхая во время тяжелого пути, не пустует он и весной, в скворечниках кипит жизнь — в них выводятся и выкармливаются птенцы. Смотрится этот птичий

Соловей устроил гнездо в керамическом подсвечнике, повешенном в беседке.

Птицам этот очаровательный домик почему-то не приглянулся, они его игнорируют.

Домик выдолблен из куска ствола.

Этот птичий домик сделан из керамики.

Многочисленные домики для птиц превратили обычный сплошной деревянный забор в произведение садового искусства.

Этот птичий дом – коммунальная квартира с тремя входами (или скорее влетами).

остров весьма живописно, а наблюдения за птичьей жизнью в минуты отдыха приносят много радости хозяевам.

ПТИЧЬЯ БЕСЕДКА

Птичий остров не единственно возможный вариант целенаправленного привлечения птиц в сад. Очень интересна «птичья беседка», расположенная в глухом углу сада под соснами, в темном месте, образованном двумя сторонами сплошного высокого забора. В плане беседка представляет собой треугольник, там помещается только скамеечка на двоих, деревянные стены ее заплетены девичьим виноградом и гортензией черешковой, эти две лианы хорошо себя чувствуют в тени. Главная придумка — крыша, на которую набито несколько разновысоких шестов со скворечниками самого разного «дизайна». Таким способом «мертвый» угол был преображен в эффектное садовое пространство.

Самые обычные птицы в садах — воробьи, трясогузки, синицы, грачи и скворцы — не только наши главные помощники в борьбе с вредными насекомыми, но и чудесные существа, возвещающие наступление рассвета и приход весны, не зря древние китайцы считали, что «созерцание полета птиц и слушание птичьего щебета — почтенное занятие для возвышенного мужа».

ВОЛЬЕРЫ

В Петергофе можно полюбоваться на две деревянные постройки петровского времени — западный и восточный вольеры. Название павильонов говорит само за себя (*volier* по-французски птичник). Стены их облицованы туфом, ракушками и «изгарью» (так назывались отходы при выплавке чугуна). В летнее время их ис-

Птичья поилка выкрашена в модный ныне «ржавый» цвет.

Если включить электричество, поилка превратится в фонтан — тоненькие струйки воды стекают с зонтика.

Перелетные птицы с удовольствием садятся на этот остров, отдыхая во время тяжелого пути, не пустует он и весной, в скворечниках кипит жизнь — в них выводятся и выкармливаются птенцы.

пользовали для содержания певчих птиц, размещенных в золоченых медных клетках. Оба павильона решены одинаково, в виде двенадцатигранных беседок с куполом над центральной частью. Железная кровля с восьмигранной башенкой наверху хорошо пропускает свет. Широкие проемы окон придают беседкам особую легкость и прозрачность, одновременно обеспечивая птицам, находившимся внутри, хорошую освещенность.

ФАЗАННИКИ

В России умели жить красиво не только императоры, но и вельможи. Они устраивали в своих усадьбах зверинцы и птичники, заводили пруды с экзотическими рыбами, строили оранжереи с теплолюбивыми заморскими растениями, не чураясь, правда, и затей практических типа полотняных, сахарных, кирпичных, винокуренных, керамических, хрустальных и фарфоровых заводов, ткацких мастерских и прядильных фабрик. К счастью, сегодня для того, чтобы завести декоративных птиц для души и в качестве украшения сада, не обязательно быть богатым человеком. Знатоки утверждают, что содержание фазанов не сложнее выращивания домашних кур, эта южная по происхождению птица прекрасно себя чувствует в средней полосе России, круглогодично находясь в открытых вольерах.

Имя фазанам дали древние греки, обнаружив их у реки Фазис, впадающей в Черное море около грузинского города Поти, которая теперь называется Риони. В Европе разведением фазанов в неволе начали заниматься еще со времен Римской империи. Немало для разведения и содержания домашней живности сделали китайцы, их древняя цивилизация одарила мир удивительными животными — это и ту-

На крышу крошечной беседки на двоих набито несколько разновысоких шестов со скворечниками самого разного «дизайна».

В петергофских вольерах летом держали певчих птиц, размещенных в золоченых медных клетках.

товый шелкопряд, и золотые рыбки, и невероятные собаки типа пекинеса, чау-чау и шарпея, и конечно же великолепные птицы. Если в селекции рыбок и собак китайцы стремились получить гротескные формы, то одну из самых декоративных птиц, золотого фазана, многие века культивировали, сохраняя его природную красоту.

Примеры содержания фазанов есть и в подмосковных садах. Минимальная площадь вольера для этих птиц составляет 3 м² на пару, хотя птицы будут лучше выглядеть и чувствовать себя на большей площади. Высота вольера должна составлять 2–3 м. Птичник лучше располагать по западной границе участка, открыв его восточному солнцу. Лучше, если сверху птичник закрывает крыша, а задняя стенка для защиты от ветра, дождя и снега поверх сетки закрыта поликарбонатом.

Эти птицы так прекрасны, что любой человек, тонко чувствующий красоту, увидев грациозных фазанов с великолепным оперением, не может не захотеть завести их. Реализовать это желание достаточно просто. Эти птицы отряда курообразных красотой и яркостью оперения не уступают тропическим экзотам, но прекрасно чувствуют себя в наших климатических условиях и могут стать украшением сада или усадьбы. Ярким оперением обладают только самцы, но коричневые самочки с темной росписью узоров тоже смотрятся вполне симпатично. Осенью, когда опадает листва и отцветают последние цветы, сад прощается с нами, и только великолепные фазаны красуются в вольерах, ослепительно хороши они и в солнечные зимние дни, когда эти хрупкие на вид птицы расхаживают по искрящемуся снегу.

Фазанов можно приобрести в охотничьих хозяйствах, где их выращивают для пополнения количества будущих охотничьих трофеев, основными же поставщиками породистой домашней птицы являются любители, предлагающие широкий ассортимент разной живности.

Покупая фазанов, целесообразнее приобрести молодых птиц. При покупке выбирайте хорошо упитанных, бойких птиц без видимых признаков заболеваний и повреждений. Обломанное перо не является серьезным недостатком, его можно резким движением вырвать из хвоста птицы (это не доставит ей особой боли), взамен вырванного через 2–3 недели отрастет такое же новое. Один раз в год в начале лета происходит обязательная, постепенная, но полная замена оперения (линька), в это время поредевшие и обломавшиеся за прошедший год старые перья выпадают, взамен них появляются новые, которые будут согревать и украшать птицу до следующей линьки.

Можно ли содержать фазанов без птичника или хотя бы иногда выпускать их в сад? Категорически нет. Эти птицы отличаются диким нравом, при любой опасности стремятся спрятаться или улететь. В нашей природе у них много врагов, это кошки, собаки, хищные птицы, хорьки и пр. Можно, конечно, подрезать фазанам перья на крыльях, тогда они не смогут улететь, но от этого они станут более суетливыми и осторожными, к тому же не смогут взлетать на высокие насесты или сучья деревьев, которые являются их любимыми местами ночевок.

Лучшим местом для содержания фазанов являются вольеры (их минимальный размер для пары птиц 1,5 х 2 м), к которым они быстро привыкают, чувствуя себя в безопасности, их корм там не растаскивается дикими птицами.

Алмазных фазанов лучше содержать парами, семья золотых может состоять из одного самца и нескольких самок. Содержать

В птичнике длиной 9,5 м и шириной 1,6 м, состоящем из четырех вольеров, живет несколько семей золотых и алмазных фазанов.

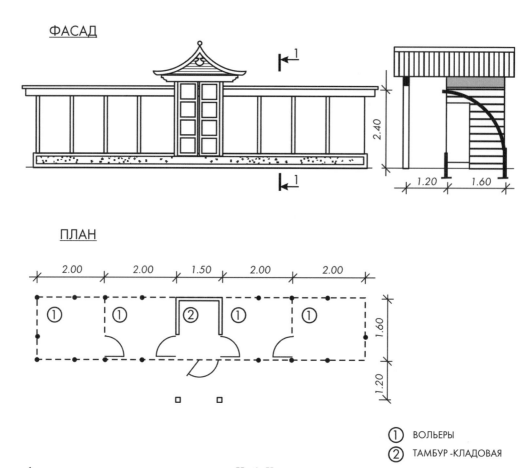

ФАСАД

ПЛАН

① ВОЛЬЕРЫ
② ТАМБУР -КЛАДОВАЯ

Этот фазанник спроектировал архитектор И. А. Климов.

нескольких взрослых самцов в одном вольере можно только зимой. Молодые самцы до года могут выращиваться вместе.

Если вы не собираетесь размножать фазанов, то можете ограничиться одними самцами без самок, которые более доступны, поскольку их рождается значительно больше. В этой ситуации самцы становятся более подвижными и агрессивными, «угрожая» через перегородку своим соседям, что делает их поведение весьма забавным — они шипят, играют воротниками и распушают хвосты, пытаясь запугать друг друга.

Пол в вольере желательно засыпать песком, в котором фазаны любят купаться, избавляясь от паразитов, кроме того, он поглощает отходы их жизнедеятельности

и легко чистится или заменяется при сильном загрязнении. В вольерах с глинистым покрытием пола следует устанавливать для купания ванны или низкие ящики с зольно-песчаной смесью.

Кроме ящика с зольно-песчаной смесью для купания в вольере обязательны поилка и кормушка, в которые фазаны не смогут залезть ногами или перевернуть их, 2–3 насеста для ночлега и отдыха, которые нужно расположить на высоте 1–2 м от земли. В гнездовой период желательно установить в дальнем углу вольера проходной шалашик из тростника или камыша и подбросить материал для устройства гнезда: веточки, сено, мох, перья. Ничего другого в небольшом вольере размещать не стоит, это будет мешать движению и приведет к обламыванию длинных хвостовых перьев.

Высаживать кустарники или небольшие деревья можно только в очень больших вольерах, в них можно также высевать различные травы, устраивать проточные водоемы с чистой водой, устанавливать сухие стволы деревьев с ветвями, служащими для птиц насестами. В них можно создать подобие естественного ландшафта, населенного прекрасными птицами, что конечно же весьма заманчиво, и если есть такая возможность, то непременно ее используйте.

Приведем требования к птичнику для комфортного проживания фазанов.

1. Птичник следует соорудить на сухом месте.

2. Минимальный размер отделения для семьи средних по размеру фазанов 1,5×2м, для крупных королевских — 3×2м.

3. Во избежание воровства корма посторонними птицами стены делают из стальной оцинкованной сетки с размерами ячейки 16×24мм. Такая сетка позволит содержать в вольерах также некоторых певчих птиц.

4. Чтобы оградить птичник от крыс, на его дно нужно уложить такую же

Красотой и яркостью оперения фазаны не уступают тропическим экзотам, но прекрасно себя чувствуют в наших климатических условиях и могут круглый год быть украшением сада.

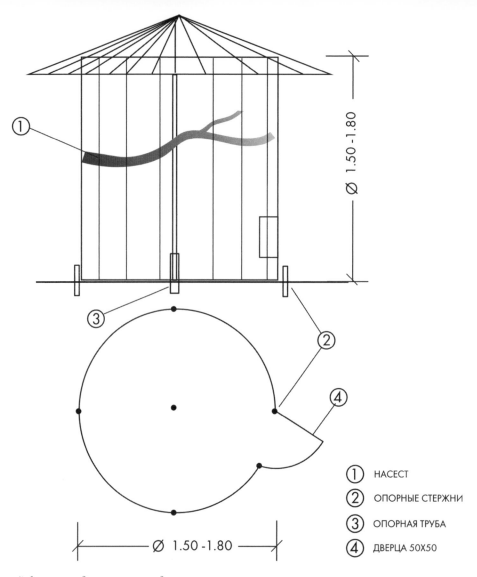

Переносной фазанник для летнего содержания птиц.

сетку под слой песка, подвернув ее на стены.

5. Заднюю стенку птичника следует защитить от ветра, дождя и снега сплошным покрытием, желательно из поликарбоната.

6. При входе в вольеры следует устроить тамбур с местом для хранения кормов в стальной таре и инвентаря.

Значительно проще содержать фазанов в вольере в саду только в летние месяцы, отдавая их на зиму в специализированные хозяйства. В этом случае вольер может быть самым простым, например, в форме боль-

шого сетчатого цилиндра диаметром 1,5–2 м с сетчатым дном, покрытого обычным большим зонтиком. Такой вольер легко переносить в саду с места на место по мере загрязнения, что значительно упрощает уборку.

Чем кормить и поить фазанов? Кормление одной–двух пар фазанов не вызовет больших проблем, им регулярно дают зеленые корма (одуванчики, сныть, подорожник, мокрицу) в сочетании с отходами со стола (подойдут остатки каши, творога, овощей, хлеба, мяса и пр.), дополняя это небольшим количеством зерносмеси, состоящей из кукурузы, подсолнечника, пшена и пр. Лакомством для фазанов являются ягоды и фрукты, а также различные насекомые, улитки и земляные черви. При круглогодичном содержании фазанов, особенно, если вы хотите, чтобы они размножались, пищевому рациону следует уделить больше внимания.

Воду следует давать в устойчивых поилках, которые фазаны не смогут перевернуть. Зимой воду вполне заменяет снег. Сложности могут возникнуть только ранней зимой, когда уже морозно, а снега еще нет, в это время выручат поилки из обрезанных пластиковых бутылок, заглубленные в землю, в них вода дольше не замерзнет. Фазаны также могут склевывать дробленый лед.

Основные затраты при содержании фазанов связаны с их приобретением. Осенью

фазаны дешевле, чем весной, когда спрос максимальный. Цена самок выше цены самцов, поэтому, если нет цели получения потомства, к породистым самцам можно подсаживать самок недорогих охотничьих фазанов, в этом случае у фазанов будет обычная семейная жизнь, большое количество яиц, из которых даже можно получить потомство, но его внешний вид будет непредсказуем.

Рассуждая о трудоемкости и стоимости содержания взрослых фазанов, следует отметить, что главное обеспечить постоянное наличие корма. Зимой это зерносмесь из кукурузы, проса, подсолнечника, рапса и других круп, а также сено (лучше всего клевер, одуванчик, разнотравье), очень полезны и любимы фазанами плоды (ряби-

Лучшим местом для содержания фазанов являются вольеры (их минимальный размер для пары птиц 1,5 x 2 м), к которым они быстро привыкают, чувствуя себя в безопасности, их корм там не растаскивается дикими птицами.

Птичья поилка может быть центром садовой композиции.

на, черноплодная рябина арония, яблоки). В сильные морозы кормушки всегда должны быть заполнены кормом, значительную часть которого в это время должны составлять высококалорийные семечки подсолнечника. Зимой общий расход кормов на 1 фазана составляет 70–80 г в день. Летом питание упрощается — в основе рациона зеленые корма с добавлением мелко нарезанных пищевых отходов с вашего стола и зерносмеси с минимальным количеством семечек, пшеница и овес лучше поедаются в пророщенном виде. Для лучшего пищеварения фазанам следует давать самый крупный песок и очень мелкий гравий, которые в желудке способствуют перетиранию зерновой пищи, весной нужно добавлять в корм дробленый ракушечник или известняк, необходимые для образования скорлупы и роста перьев.

Сложно ли размножать фазанов? Если возникнет такое желание, обязательно изу-

чите специальную литературу, например, книгу А.И. Рахманова «Фазановые птицы». Почти наверняка вам понадобится инкубатор, клетки или другие устройства с обогревом для фазанят, а главное 2–3 недели именно вы будете ответственны за питание и обогрев птенцов. Самка фазана сможет устроить в вольере гнездо и высидеть птенцов, но в тесном уличном вольере они, скорее всего, замерзнут, будут задавлены или погибнут от недоедания, поэтому лучше забирать яйца у наседки после 20–22 дней насиживания и помещать их в инкубатор, а после выведения на 23–24-й день создавать необходимые температурные условия и обеспечивать нужный рацион кормления. Первые 3–4 месяца фазанята не имеют половых различий, а окончательную окраску приобретают только на втором году жизни после летней смены перьев (линьки).

Золотой фазан полностью соответствует своему названию: голову венчает пышный золотисто-желтый хохол, воротник на шее у самца состоит из оранжево-желтых веерообразных перьев с бархатисто-черным окаймлением кончиков, надхвостье также золотисто-желтое. Самки окрашены скромно, основной цвет их оперения рыжевато-бурый. Полувзрослые самцы напоминают самок, но отличаются от них пятнистым хвостом и разбросанными по телу рыжими пятнами. Оба пола имеют желтые ноги и клюв. Общая длина самца 100 см, его хвост 77–79 см, длина самки — 64–67 см, длина ее хвоста 35–38 см. Родина птиц — Центральный Китай, где они гнездятся в бамбуковых лесах, растущих на невысоких горах. Самка начинает нестись в апреле, откладывая по 1 яйцу через день. В кладке по 12–16 яиц размером с куриное.

Алмазный фазан тоже чрезвычайно красив: хохол небольшой, черный, концы перьев красные, лоб, щеки, подбородок, горло, зоб, спина и бока блестящего зеленого цвета с сине-черной каймой перьев; затылок, задняя часть шеи и перья воротника серебристо-белые с темным окаймлением; грудь, живот и штанишки белые. Сильно удлиненные перья надхвостья ярко-красные, рулевые перья серебристо-белые с красно-коричневыми и черными поперечными полосами. Длина самца 130–170 см, хвост 86–112 см. Самка по окраске похожа на самку золотого фазана, но основное оперение у нее интенсивнее по цвету, с более крупными черновато-коричневыми отметинами. Длина самки 66–68 см, хвост 31–38 см. Родина птиц — Юго-Восточный Тибет, Юго-Западный Китай и Южная Мьянма, где они населяют горы на высоте 2000–3000 м над уровнем моря. Алмазный фазан более ловок и неприхотлив, чем золотой, менее чувствителен к низким температу-

рам, в остальном схож с золотым и может давать с ним гибридное потомство (птенцы больших размеров и более плодовиты). Можно ли в вольерах вместе с фазанами содержать других птиц? Самцы фазанов, агрессивные весной по отношению к другим самцам своего вида, легко уживаются с прочими, особенно мелкими птицами. Содержание в вольере певчих птиц позволит сочетать красоту фазанов с мелодичными голосами певчих птиц отечественной фауны.

При выборе певчих птиц для подселения в фазанник следует остановиться на тех, которые неприхотливы и зерноядны, то есть будут охотно есть из общих кормушек те же корма что и фазаны. Кормушки с кормами специально для мелких птиц следует размещать в местах недоступных для фазанов, например, на боковых стен-

Самцы фазанов чрезвычайно красивы, ярки и нарядны. Рыжевато-бурые самки выглядят гораздо скромнее.

ках, можно устраивать специальные кормовые отделения, отгороженные крупноячеистой сеткой.

Если вам хочется добиться размножения певчих птиц, то в общем вольере отгородите отдельные отсеки для каждой пары мелких птиц. Такие «отдельные квартиры» могут быть небольшими, но изолированными, чтобы фазаны не тревожили мелких птиц, устраивающих гнездо и выкармливающих птенцов.

Для размещения в вольерах подойдут следующие зерноядные птицы:

1) чиж, который быстро привыкает к вольеру, неприхотлив в питании, обладает веселым нравом, поет мелодичную, несколько однообразную песню, легко размножается в неволе, устраивая гнездо на развилке дерева;

2) красивый щегол, который может имитировать песни других птиц, устра-

ивающий гнездо на ветке или развилке дерева;

3) коноплянка (реполов), птица с очень приятной мелодичной песней, считающаяся одним из лучших певцов среди зерноядных птиц, однако более требовательная к подбору кормов и др.

Для успешного длительного содержания певчих птиц в неволе следует изучить более полные рекомендации по рационам, кормлению и уходу за ними в специальной литературе. Если вы завели птицу, а потом решили выпустить ее на волю, делайте это в начале лета, когда в природе много естественного корма, чтобы она успела перестроиться на самостоятельное питание.

Повторим вслед за Чарльзом Дарвином: «Я с удовольствием начал следить за жизнью птиц… и по своей простоте удивлялся, как это каждый джентльмен не делается орнитологом…»

Проснуться летним утром под пение птиц в собственном саду – это счастье!

САДОВАЯ СКУЛЬПТУРА

Скульптура использовалась еще для украшения садов древнего Рима. На виллах, частных загородных резиденциях императоров и богатых патрициев, где они отдыхали от важных государственных дел, красота природы соединялась с совершенными творениями человеческих рук. Именно это прекрасное сочетание природного ландшафта с архитектурными постройками, садово-парковой скульптурой, водоемами и рукотворными уголками природы сделало классические итальянские сады шедеврами.

Скульптура была неотъемлемым элементом регулярных парков прошлого, применялась она в садах и парках пейзажной планировки. С ее помощью часто задавали определенную тему всему саду в целом или какому-то его участку. Скульптура в парке рассказывала об античных героях, призывала следовать какой-либо добродетели, увековечивала воинские победы.

Надо сказать, что в формальном саду хороша не только классическая скульптура, вполне достойно и современно выглядит абстрактная фигура на постаменте.

В современных европейских садах скульптура выглядит актуально, начинает она проникать и в российские сады, делая их оригинальными и элегантными. Объединить произведение искусства и сад непросто, это тоже искусство. Скульптура должна смотреться органично, она может являться главным визуальным акцентом в саду, быть приличных размеров и производить сильное впечатление, чаще ее размеры скромны, она занимает второстепенное положение, хотя непременно находится в гармонии с садовым окружением. Скульптура не только должна доставлять удовольствие сама по себе как произведение искусства, важнее правильно вписать ее в сад, усилив эстетическое впечатление от растительной композиции.

Велико стилевое разнообразие скульптуры — от классических статуй до абстрактных композиций.

КЛАССИЧЕСКИЕ ФИГУРЫ И СТАТУИ

Такие статуи хороши не только в классических садах. В современном саду скульптура размещается среди посадок, женская фигура, наполовину скрытая зе-

Бюст, увитый плющом, отлично вписан в тенистый уголок.

Женская фигура, частично скрытая зеленью, смотрится очень романтично.

ленью в укромном тенистом уголке, смотрится очень романтично.

Человеческая фигура из природного камня подойдет для большого сада. Для небольших садов лучше подбирать скульптуру меньшего размера. Многие владельцы любят украшать сады ангелочками с крылышками, так называемыми путти (по-итальянски *putti* младенец), это излюбленный декоративный мотив эпохи Возрождения.

Обнаженная изящная фигура купальщицы великолепно впишется в небольшое водное пространство, где она будет смотреться естественно.

Попарно расположенные скульптуры, в том числе шары или вазоны, могут использоваться в качестве обрамления дорожек, лестниц и входов, делая их особенно выразительными.

Увитая розами арка или шпалера — самое подходящее обрамление для статуи ребенка или ангела. Розы и скульптуры вместе смотрятся идеально.

В затененных местах хороши скульптуры из светлого материала, как бы освещающие эти части сада.

Уместно смотрится скульптура в проеме за перголой, установленная так, чтобы центральная ось перголы заканчивалась на каменном изваянии.

Любопытно выглядят в саду фрагменты старых скульптурных украшений, обломки колонн, куски карнизов и капителей колонн. Лучше разместить их на газоне или на мощении так, чтобы на них падала тень от листвы, придавая им пущую таинственность.

СОЛНЕЧНЫЕ ЧАСЫ И КЛАССИЧЕСКИЕ ВАЗЫ

Солнечные часы на постаменте, размещенные в центре сада, неизменно привле-

Группа из трех высоких вертикальных камней в водоеме вместе с растениями создает в японском саду гармоничный ансамбль, создавая атмосферу покоя и тонкой красоты.

Великолепный металлический петух в цветнике перед плетнем.

кают к себе внимание. Сомневаюсь в том, что вы будете использовать их по прямому назначению для определения времени, но в качестве садового аксессуара они выглядят эффектно. Солнечные часы представляют собой колонну, на верхней части которой укреплена бронзовая пластинка с гномоном (это такой стержень, который отбрасывает тень на шкалу), либо сложную конструкцию с армиллярными сферами, которая показывает не только время, но и местоположение планет.

Классические садовые вазы логично вписываются в растительные композиции или размещаются на перекрестке мощеных дорожек. Они представляют интерес как садовые элементы сами по себе, даже без растений, посаженных в них. Они сделаны из натурального камня, иногда из бетона, покрытого каменной крошкой, цинка, бронзы, чугуна. Контейнеры и вазоны

ставят вдоль лестниц, около дверей, в конце аллеи, по периметру террасы, их часто размещают на постаментах. Цвет их может быть натуральным, свойственным тому материалу, их которого они сделаны, если хочется окрасить их, выбирайте нейтральные тона, такие как серый, серо-голубой или темный бронзово-зеленый.

МЕЛКАЯ ПЛАСТИКА, ИЗОБРАЖЕНИЯ ЖИВОТНЫХ

Главное правило при выборе таких скульптур — оригинальность художественного воплощения, излишне реалистичное изображение животного не всегда выглядит интересным, этого лучше избегать. Сегодня скульптура проникает во все уголки садового участка и украшает не только его парадную часть. Миниатюрных животных и птиц расставляют на газонах, клумбах,

Скульптуры традиционно обрамляют ступени (здесь это вазон и бюст на постаменте).

Интересно смотрятся в саду обломки колонн и фрагменты капителей.

Мужской торс вполне уместен в этом месте сада.

На боковой поверхности каменного вазона вырезаны виноградные кисти.

*Солнечные часы, помещенные в центре сада,
неизменно привлекают внимание.*

*У каменного шара, лежащего в вазе, очень
необычная фактура.*

*Сложная конструкция солнечных часов
с армиллярными сферами.*

рядом с водоемами и внутри патио, делая это с учетом их природных особенностей: лягушки, аисты и утки хороши у пруда и ручья, кролики и овечки — среди травы, кошка — на выступе стены или на подпорной стенке. Скульптуры помогают в расстановке акцентов. Они управляют движением взгляда, их используют для выделения ключевых точек композиции, формирования ритма пейзажа. Помните, что неуместная в данном месте скульптура нарушает гармонию сада, она должна не только радовать вас, но и украшать то место, где ее установили.

В современном малом саду скульптура чаще всего не доминанта сада, а просто приятный сюрприз, она прячется среди растений и открывается лишь внимательному глазу.

АБСТРАКТНЫЕ КОМПОЗИЦИИ

Абстрактная скульптура не изображает ничего конкретного, представляя собой композицию из линий, геометрических фигур и объемов, она воплощает в материале какую-то идею или фантазию художника. Многим нравятся именно такие работы, некоторые считают их в большей степени искусством, нежели все остальное.

Иногда скульптурные изображения становятся идейной основой сада, они сами по себе представляют художественную ценность, а растения и ландшафтные композиции являются всего лишь дополнением к ним. Такие сады называют садами скульптур.

Концептуальность — отличительная черта авангардных садов, несомненно, оп-

ределяющая характер скульптурных форм. Подобные изваяния могут иметь разные размеры: быть совсем небольшими, высотой до 50 см, или гигантскими. Скульптуру различной высоты нужно рассматривать с разного расстояния: работу высотой 1 м лучше созерцать, отойдя на 2–3 м, а высотой 2,5 м — уже на 6–10 м. Восприятие зависит и от цвета поверхности — чем она светлее, тем больше дистанция, с которой можно разглядеть ее детали и фактуру поверхности. Глянцевая поверхность фигур создает впечатление холодности, отстраненности от зрителя, матовые, шероховатые поверхности выглядят спокойнее и дружелюбнее.

Со вкусом подобранное и грамотно размещенное садовое украшение может со-

Такая ваза интересна сама по себе, даже без растений.

Каменная кошка на подпорной стенке.

Каменная лягушка прячется под листом гуннеры у пруда.

Куры залезли в цветник.

Курочки вышли на дорожку.

Лягушка притаилась на камне у пруда.

Вазон оригинальной формы поставлен в центр гравийного круга.

Деревянная лошадка — и скульптурка, и вазон.

Каменная собака выглядывает из-за стула.

В современном саду мелкая скульптура чаще всего просто милый аксессуар.

Место цапли — в пруду.

вершенно преобразить банальный уголок сада. Абстрактная скульптура вполне может занимать подчиненное по отношению к растительности положение, быть в саду милым аксессуаром.

СКУЛЬПТУРЫ ДЛЯ СТИЛИЗАЦИИ

В саду японского стиля наряду с камнями, водой, хвойными и лиственными растениями большое значение имеют скульптуры и архитектурные элементы — пагоды, фонари, цукубаи, мосты, изгороди, скамьи, чайные домики, беседки. Вместе с растени-

ями они создают гармоничный ансамбль, придавая саду атмосферу умиротворенности и тонкой красоты.

Каменные фонари, пожалуй, самый популярный элемент российского сада в японском стиле. Изначально они были ритуальными предметами и располагались у статуи Будды, символизируя свет его учения, потом их стали ставить у входа в храм и по краям дорожек, ведущих к храму. Конструкция фонарей обычно состоит из шести отдельных элементов: подставки под фонарь, опоры, подставки светильной камеры, собственно камеры, крыши и навершия. Сейчас фонари стали едва ли не самым узнаваемым атрибутом японского сада, для непосвященных в тайны этого сада, в обычном российском «неяпонском» саду они являются просто декоративным элементом, придающими индивидуальность его уголкам.

Время отточило формы японских фонарей, превратив их в оригинальную скульптуру, органично вписывающуюся в садовые композиции. Если в вечернее или ночное время в них зажечь обыкновенную свечу, сквозь узорные прорези светильника будет пробиваться колеблющийся свет, освещая окружающие растения и камни. Если каменный фонарь подсветить боковым, нижним или контровым светом, это подчеркнет его рельеф и геометрию или создаст вокруг фонаря мягкий ореол свечения, и мы получим совершенно другой эффект.

Любопытно смотрятся и пагоды, имевшие в традиционных японских садах не столько эстетическое, сколько сакральное значение, их располагали только там, где предписывали строгие правила, их форма и количество ярусов были жестко регламентированы. Вряд ли вы станете устраивать у себя аутентичный японский сад с пагодой, это не только сложное искусство, но и философия, в это нужно глубоко погрузиться, но никто не может запретить вам сделать некую абс-

Абстрактная скульптура не изображает ничего конкретного, воплощая какую-то идею или фантазию художника.

Со вкусом подобранное и грамотно размещенное садовое украшение может совершенно преобразить обычный фрагмент сада.

Каменный фонарь — самый узнаваемый атрибут японского сада.

Абстрактная композиция из камней изображает стилизованную пагоду.

трактную композицию из камней, навеянную воспоминаниями о том, что вы увидели, путешествуя по Японии или просто разглядывая иллюстрации к статье о классических японских садах.

ШАРЫ, КАМНИ, ВАЛУНЫ И КОРЯГИ

Скульптура — это не только изображения людей и животных, это и интересной формы камень на постаменте, необыкновенная коряга, кубы и шары из самых разных материалов, служащие украшением сада. Коряги и части стволов деревьев могут выглядеть необыкновенно эффектно, их формы причудливы, они гармонично смотрятся в растительном окружении. Особенно хороши те, что взяты с берега моря, отполированы соленой водой и высушены ветрами, наверное потому так хороши коряги в садах на берегу Финского залива и в Прибалтике, но можно найти

Правильная геометрия каменных шаров интересно контрастирует с произвольными формами растений.

что-то подходящее и в подмосковном лесу.

Камни являются столь же полноправным элементом ландшафта, что и растения, они могут служить кулисами и расставлять акценты. Природный камень с потрясающим рисунком поверхности в сочетании с двумя-тремя такими же составляют эффектную группу для оформления растительных композиций.

Шаровидная форма приковывает взгляд. Каменные шары усиливают впечатление от группы растений, их правильная геометрия контрастирует с произвольными растительными формами. Шары также могут быть выполнены не только из камня, но и из дерева и бетона, а также скручены из срезанных плетей девичьего винограда или хмеля, побегов клематиса. Их используют не только как акценты в композициях, но и для создания определенного ритма, обрамления пейзажа, скамейки или входа.

ДЕРЕВЯННЫЕ СКУЛЬПТУРЫ

Деревянные скульптуры вырезают из цельного ствола дерева, плетут из веток, собирают из сучков. В различных зонах сада уместны разные по характеру и настроению изделия. У входа в лесную часть сада можно поставить сучковатую скульптуру, напоминающую лесное животное или сказочного персонажа. Детская площадка — подходящее место для фигур зверей и героев сказок. Декоративный огород можно украсить, например, большой тыквой или фигурками домашних животных.

ОБИХОДНЫЕ ВЕЩИ В КАЧЕСТВЕ СКУЛЬПТУРЫ

Мебель как скульптура

Творчески мыслящие натуры иногда делают садовую скульптуру из самых простых

Шар как клубок смотан из плетей девичьего винограда.

и обыденных вещей. Берут, например, остов от стула, вместо сиденья устраивают клумбу с цветами и устанавливают в подходящем месте сада, получается вполне симпатично. Аналогичная идея воплощена в достаточно ржавом комплекте из стола, украшенного композицией из контейнеров с молодилами, и двух стульев. Если остальной сад прекрасен и ухожен, то такая как бы запущенная «скульптура» его только украсит.

Всегда впечатляют авторские экземпляры, выполненные из единого куска дерева, например, скульптура, представляющая собой ладонь, согнутую определенным образом, так, что получилось садовое кресло.

Колодцы как скульптура

Оригинальной скульптурой в саду может выглядеть колодец. Здесь возможны два варианта. В первом варианте берут колодец и делают для него как бы домик с крышей разной степени затейливости, главное, чтобы по стилю и материалам боковых стен и крыши он соответствовал дому на участ-

ке. Второй вариант, когда он не привязан к настоящему колодцу с водой, а просто изображает его. Хорошо поддержать такую скульптуру коромыслом, какими-то еще колодезными аксессуарами, другими деревянными скульптурами. Если это сделано настоящим художником, то смотрится замечательно.

МАТЕРИАЛЫ ДЛЯ СКУЛЬПТУРЫ

Материалом для классической садовой скульптуры служил камень (мрамор и гранит) и металл (бронза и медь). Сейчас скульптура выполняется не только из традиционных материалов, наряду с камнем и бронзой используется дерево, бетон, проволока, стекло и даже пластик.

Камень

Скульптуры из гранита, песчаника, кварца, известняка прекрасно приспособлены к тому, чтобы обитать в саду под открытым небом круглый год: им не страшны ни мо-

Коралл на берегу водоема.

Фактура камней отлично контрастирует с листьями хост.

Ствол дерева и камни — чем не садовая скульптура.

Роскошные камни, гравий, пошаговая дорожка — и у нас в голове уже создан образ японского сада.

Коряги могут выглядеть очень эффектно.

Декоративный огород украшают деревянные свиньи около аутентичной деревянной лохани.

Этот «домик» воздвигли над колодцем.

розы, ни влага. Скульптуры из натурального камня — удовольствие дорогое.

Если хочется, чтобы скульптура казалась вещью с историей, применяют мягкие камни типа известняка, который быстро покроется мхом и лишайником, можно даже ускорить этот процесс, специально обмазав камень натуральным йогуртом или кефиром либо жидким органическим удобрением. Замшелая скульптура часто встречается в английских садах, не уважают англичане новодел. Если вам такая заросшая скульптура не кажется привлекательной, поверхность камня следует обрабатывать специальными химическими составами.

Природный камень, используемый для оформления садов, уже сам по себе является декоративным элементом, он приятен для глаза, с его помощью можно добиться потрясающих результатов. Часто колонны из природного камня используют в виде подставок для произведений искусства.

Разнообразить и украсить пространство сада можно, используя в дизайне сада не только классическую скульптуру, но и различные аксессуары — фонтаны, вазы, колонны. Наиболее респектабельно они смотрятся, если выполнены из камня.

Дерево

Садовая скульптура из дерева хороша в садах стиля «кантри». Подойдет она и для стиля Naturgarden, и для пейзажного стиля. Фигурки могут быть разных размеров — от крупных до миниатюрных. Садовая резная скульптура должна сочетаться с другими деревянными элементами сада, например с беседкой или перголой.

Деревянная скульптура приятна человеку. Иногда ее поверхность раскрашивают, если того требуют сюжет и окружение, чаще оставляют натуральный оттенок,

Этот деревянный колодец не привязан к воде настоящей.

Из сиденья кресла растут лобелии.

Очень хороши статуи из натурального камня.

Кому-то нравятся замшелые скульптуры, а кто-то с мхом на камне борется.

обрабатывая дерево защитным составом. В дереве можно воплотить самые причудливые образы, древесина максимально приблизит их к природе, сказочные скульптурные персонажи выглядят очень органично. Духи леса, стоящие в тенистых уголках вашего сада, стилизованные животные, абстрактные композиции — особенно такие деревянные скульптуры удаются прибалтийским мастерам.

Деревянные фигуры обрабатывают антисептиками сразу после изготовления, затем покрытие обновляют каждые 1–2 года. Иногда их также красят или тонируют в зависимости от того, какой эффект хотят получить: прозрачные тонировки проявляют текстуру дерева, краски ее скрывают.

Стекло и керамика

Выбор материала для скульптуры зависит не только от внешних условий (любой материал должен быть устойчив к воздействию дождя и мороза), но и от размера фигуры. Для скульптур небольшого размера с большим количеством мелких деталей можно выбрать керамику и шамот.

Часто материал, из которого сделана скульптура, определяет место ее расположения. Так, стеклянные работы лучше размещать вдали от детской площадки, даже если стекло прочное.

Металл

Кованые скульптуры могут представлять собой растения, например стебли с фантастическими цветками. В технике кованой меди создают птиц и животных. Порхающие голуби, олени, грациозные антилопы не только украшают сад, но и сливаются с ним в единое целое. Художники создают не только фигуры животных, но и скульптуры философской направленности. Иногда их делают из промышленных отходов, например, гнутых листов, по-

И из дерева можно сделать
абстрактную скульптуру.

Ожерелье этого лесного духа сделано из дубовых
листьев.

Деревянные скульптуры особенно удаются
прибалтийским мастерам.

Скульптура из дерева хороша для сада в
деревенском стиле.

лос, проволоки. У талантливых художников получаются оригинальные вещи, которые хорошо смотрятся в саду.

ОСНОВНЫЕ ПРАВИЛА РАЗМЕЩЕНИЯ

Если вы решили украсить свой сад скульптурой, неплохо знать некоторые правила ее размещения.

Первое и основное — это соблюдение пропорций. Крупные скульптуры подходят для большого сада, но это не значит, что в малом саду скульптуры должны быть маленького размера, мы украшаем сад, а не кукольный домик. Не годятся для сада комнатные украшения, здесь они просто теряются, в саду масштабы более крупные. Оригинальная садовая скульптура, подобранная со вкусом и удачно размещенная, придает достойный

Этот патриций выполнен из керамики.

Металлическая скульптура читающей девочки на фоне забора из поленьев.

Важен не только выбор скульптуры, но и место ее установки.

Оригинальная скульптура органично смотрится в плодовом саду.

вид саду самой скромной площади. Важно правильно подобрать масштаб — скульптуры не должны быть слишком малы, тогда их просто не заметят, они не должны быть и чересчур велики, чтобы не подавлять то, что расположено рядом. Крупные предметы сами бросятся в глаза. Чтобы привлечь внимание к небольшим, но интересным вещам, разместите их на постаментах или колоннах. Применение садовой скульптуры должно быть взвешенным. Главное — не забывать о чувстве меры. Каждая деталь небольшого пространства должна быть уместной и соответствовать его масштабу. Садовая скульптура должна логично выглядеть рядом с деревьями и кустарниками, дорожками и площадками, садовыми строениями и водными элементами. Важен не только выбор скульптуры, но и место ее установки, нужно не просто украсить сад, но подчеркнуть и даже усилить эффект растительной или водной композиции.

Аксессуары в саду лучше размещать так, чтобы из одной точки был виден лишь один элемент украшения, не отвлекая внимание от другого. Будет жаль, если тщательно подобранные украшения потеряются в общей массе. Скульптуры следует использовать скупо, чаще всего в небольшом саду достаточно одной, если же их несколько, располагайте их обособленно. Избыток скульптур может испортить впечатление от сада. Скульптуры должны вписаться в сад, жаль, когда средства тратятся на кич, одна правильно поставленная скульптура создаст больший эффект, нежели множество мелких.

Аксессуары должны привлекать внимание к наиболее выигрышным уголкам сада. Простые украшения часто производят лучшее впечатление.

Скульптуры могут использоваться как фокусные точки в саду или для создания баланса, когда некая фигура, женская или детская,

Скульптура может использоваться как фокусная точка.

А это уже перебор — в одном небольшом пространстве каменная девушка, керамический башмак, металлический фонарь и даже пластиковый бельчонок.

стоящая, сидящая или лежащая, уравновешивает массу растений с другой стороны сада. Помещенные в начале дорожки, фигурки как бы приглашают погулять по ней.

Прежде чем устанавливать скульптурное изображение, подумайте о его уместности именно в этом месте, и если у вас есть хотя бы малейшие сомнения, откажитесь от этой идеи, нелепые или излишне вычурные скульптурные украшения дискредитируют сад.

Несколько скульптур могут задать тематику сада, разделить его на зоны или, наоборот, собрать в единое целое. Размещая скульптуру, поиграйте с тенями и пятнами света. В гуще посадок всегда остаются части пространства, свободные от листвы. В зависимости от расположения солнца его лучи проникают сквозь эти «окна» и расставляют то одни, то другие акценты — солнечное пятно медленно ползет по саду. Если свет упадет на скульптуру — она засияет, потом он сместится — и изваяние спрячется в тень.

Романтическую скульптуру влюбленных размещают в уединенном уголке сада, недоступном постороннему глазу, она станет приятным открытием для человека, гуляющего по саду.

Скульптура удачно разместится в конце аллеи, где по мере приближения к ней все отчетливее проступают детали. Скрытая в зарослях, она явится взору внезапно. Если скульптура устанавливается у водоема или в его глубине, важно продумать ее отражение.

Так же как и пейзаж, скульптура меняется в зависимости от времени суток, от того, идет ли дождь или светит солнце, впечатление от нее зависит и от сезона, так как меняется растительное окружение, на фоне которого она смотрится, зритель осматривает ее с разных точек и с разного расстояния.

Небольшие, но интересные вещи размещают на постаментах.

СКАМЕЙКИ

Работа в саду отнюдь не исключает отдых. А как отдыхать без дачной мебели? Как принять гостей? Да и любоваться садом удобнее, сидя на скамейке. Сада без скамейки не бывает. Этот садовый атрибут существует в самых разных вариантах и в первую очередь зависит от образа и стилистики вашего участка.

Скамья или скамейка — доска на ножках, для сиденья; переносная лавка, или табурет, стул без спинки, или низенькая подставка под ноги. Так определяет скамейку словарь Даля, но понятие «садовая скамейка» намного шире этих строк. Недаром художники так любили и любят рисовать скамейки. Строки, посвященные скамейке, мы найдем в романсах и романах. С этим простым элементом садовой жизни связаны самые разные эмоции и воспоминания не только литературных персонажей, но и самых обычных садоводов. Комфортное времяпровождение в саду без скамейки представить себе невозможно, и здесь совершенно не важно, из чего она сделана и на что похожа.

Итак, если у вас есть сад, то в нем обязательно должна быть скамейка. Отдых на ска-

мейке — одна из прелестей садоводства. Вы можете выбрать любую садовую скамейку, выполненную из древесины или металла, классическую или современного дизайна. На ней вы будет вести неспешные беседы, любоваться роскошным закатом, пить чай или обедать, наблюдать за полетом стрекоз, отдыхать после работы. Конечно, она должна быть симпатичной, удобной, гармонично смотреться в саду и около дома. Сегодня в продаже есть любая мебель — на любой вкус, по любой цене. Самая большая проблема — это проблема выбора.

Очень неплохо, если вы, прежде чем поставить скамейки, подумаете о некоторых важных вещах: какой вид с них будет открываться, а также как и откуда, в какое время суток они будут максимально интересно смотреться.

Как декоративный элемент скамейки могут украшать сад, быть акцентом или фокусом восприятия. В то же время они и организуют этот самый вид, которым любуются сидящие на них люди. С учетом скамеек формируют площадки для отдыха и декоративные растительные композиции, они обязательно располагаются около водоема. На участке не должно быть дорожек, ведущих в никуда, если же вдруг таковая обра-

Повторим вслед за знаменитой Гертрудой Джекилл: «Каждому саду необходима пергола, а каждому садоводу — скамья под сводом из ветвей увивающих ее роз».

зовалась, просто завершите ее скамейкой.

Сколько скамеек должно быть в саду? На мой взгляд, много, по крайней мере, несколько. Поставьте их в разных местах сада, тогда вы сможете подобрать место для отдыха в соответствии со своим настроением и временем суток.

МЕСТА РАСПОЛОЖЕНИЯ СКАМЕЕК

Все зависит от вашего образа жизни, у каждого он свой. Соответственно, и скамейки, и их использование бывают разные. Расстановка скамеек — дело серьезное. С одной стороны, это мощное оружие в области ландшафтных решений — например, с помощью садовых скамеек можно очертить границы зон на участке. С другой стороны — крайне важны функциональность и удобство использования. Следует учесть множество факторов, в том числе вид, который открывается со скамьи, освещен-

ность в разное время дня, посещаемость места и др. Прежде чем купить или соорудить на участке стационарную скамью, которую впоследствии сложно переставить, поэкспериментируйте со стулом или креслом. Подбирая место, понаблюдайте за ним в разное время суток.

Садовая обстановка должна вписываться в ансамбль сада и загородного дома и соответствовать им по духу. В саду классического и средиземноморского стиля хорошо выглядит кованая мебель. Сад модерна невозможно представить без характерных текучих линий и флористических мотивов. С деревенским и природным садами ассоциируются серые от времени деревянные скамейки, в них впишется грубоватая мебель из бревен и пней. Современный сад украсит минималистская мебель, например, из алюминиевого каркаса с деревянными элементами.

Тяжелая стационарная мебель, которую невозможно убрать, остается зимовать в саду, легкая и складная садовая мебель стоит

Приятно посидеть в тенистом месте в жаркий день.

Под ветвями старого дерева просто необходимо устроить круговую скамейку.

Желание иногда побыть в одиночестве — явление вполне естественное.

в саду все лето, а на зиму убирается в сарай или на веранду.

ВИДЫ СКАМЕЕК

Облик скамейки существенно зависит от того, где мы намереваемся ее расположить: у водоема, у дома, у огорода, в зоне отдыха. Главный критерий при сооружении скамейки — красота и удобство ее использования.

Летняя скамейка в тенистом месте

Часто с северной стороны дома или в тени деревьев ставится скамейка, сидя на которой мы можем спрятаться от летнего зноя. Человек чувствует себя комфортно, если пространство за его спиной защищено. Если ни дома, ни большого дерева поблизости нет, задняя часть таких скамеек может быть закрыта, например, стенкой из можжевельника, стриженым чубушником или девичьим виноградом.

Скамейка для уединения

Один из уголков сада непременно оборудуйте так, чтобы там было местечко, где какое-то время, пусть очень незначительное, можно было бы побыть в одиночестве, подумать, помечтать, может быть, почитать книгу, заняться рукоделием, выпить чашку кофе или бокал вина. Желание иногда побыть одному — явление вполне естественное. Для любителей уединения существуют скамейки, скорее напоминающие большое кресло. Такую скамейку располагают в тихих и спокойных местах, откуда будут видны все подходы к укромному уголку — сюрпризы в виде внезапно подошедшего члена семьи или гостя здесь ни к чему.

Видовая скамейка

В своем собственном саду установите скамейку там, откуда можно любоваться

Если у водной композиции нет места, откуда можно ею полюбоваться, то зачем было устраивать эту затею?

Смотреть на воду не надоедает никогда.

Валенки просушат после зимы, уберут на хранение… и забавная картинка исчезнет.

Почему не сделать арт-объект в собственном саду?

лучшими видами сада и окрестностей, если таковые, конечно, имеются. Такая скамейка приглашает передохнуть и полюбоваться красивыми клумбами, насладиться цветочными ароматами, понаблюдать за жизнью пруда. Установите ее в местах, откуда хорошо видны самые привлекательные уголки сада. В важных «стратегических» точках сада, например, на пригорке, с которого открывается красивый вид на окрестности, обычно ставят скамейку для двоих.

Скамейка у воды

Смотреть на воду не надоедает никогда, разве что устанешь долго стоять, поэтому на берегу садового водоема скамейка просто необходима. Если у водной композиции нет места, откуда ею можно любоваться, то зачем было устраивать эту водную затею? Рыбы, лягушки, стрекозы, ящерицы, тритоны, жуки... Наблюдать за «населением» пруда — огромное удо-

вольствие. На скамейке у пруда успокаиваются самые нервные люди, а ворчливые и сердитые становятся гораздо более приятными в общении. Вода на всех действует умиротворяюще. А если добавить к этому журчание маленького фонтанчика или водопадика, вам никогда не захочется уходить с этой скамейки.

Круговая скамья вокруг дерева

Расположенная вокруг ствола дерева кольцевая скамейка приглашает к спокойному отдыху. Конечно, ветви дерева не должны расти слишком низко и загораживать сидящему на скамье вид на окружающие красоты. Если круговой обзор невозможен, можно поставить под деревом полукруглую или обычную скамейку. Корни старого дерева проходят неглубоко, поэтому площадку под скамейкой засыпают гравием.

Под ветвями старого мощного дерева просто необходимо устроить круговую

Скамейка из жердей.

Столик и скамьи из бревен покрыты лаком.

Деревянная скамья продолжает линию стриженой живой изгороди.

Необработанный пень недолговечен.

Скамья вписана в склон, обложенный валунами.

Спинка скамьи сделана из двух половинок колеса.

Скамья из бревен.

Скамья из бревен в японском саду в Литве.

*Скамья сделана из бревен, столешница стола —
бывший жернов.*

Стул из пня.

скамейку, конструкция которой довольно
проста, ее изготовление не отнимет много
времени. Подобная зона отдыха возможна только в старых садах. В любое время
вы найдете здесь столь желанный в жару тенек, а почва под деревом и оно само
не повреждаются.

Скамья при входе

Такая скамейка располагается при входе на участок. Она незаменима для приема
посетителей, которых не хочется или некогда приглашать в дом или сад. Сюда так
удобно поставить сумки по возвращении
с рынка или из магазина. Китайские садоустроители советовали обязательно устанавливать скамейки при входе в сад, чтобы
усталый путник мог в конце пути наконец-то отдохнуть.

Скамья как арт-объект или витрина для растений

Как часто мы любуемся в глянцевых журналах художественными композициями —
лейка, ваза с цветами, соломенная шляпка,
может быть, шаль, пара яблок или несколько горшков. Красиво… А почему не сделать такой арт-объект в собственном саду?
Возникающий в результате соавторства человека и сада он недолговечен, мимолетен,
почти неуловим. Ну что ж, будем менять
«экспозицию», когда она завянет, испортится или просто наскучит.

Дерновая скамья

К тебе, дерновая лежанка,
Пришел я паки отдыхать.
Пришел свои покоить члены
И чувства все опять…

А. Т. Болотов

Как сделать дерновую скамью?
Шаг первый. Соорудите деревянный
каркас (как опалубку для бетона) и за-

Дерновая скамья требует ухода даже в таком варианте — траву нужно регулярно поливать, стричь и удобрять.

Дерновая скамья в подмосковном саду.

сыпьте его внутреннюю часть землей. Землю насыпайте постепенно и плотно ее утрамбовывайте. Длина дерновой скамьи может быть самой разной — от 1,5–2 м до 5–6 м, как на картине Репина. Высота спинки скамьи может составлять 50–70 см, спинка должна быть чуть наклонной, иначе траве будет сложно расти. Грунт на спинке конечно же тоже сильно утрамбовывают.

Шаг второй. После заполнения каркас разбирают.

Шаг третий. Покройте землю дерном. Дерн можно вырастить самостоятельно, насыпав на целлофан или мешковину слой земли, который затем утрамбовывают, поливают и сеют на него газонную траву, можно использовать покупной рулонный газон.

А вот так советовал заготавливать дерн, в том числе и для дерновой скамейки, Андрей Тимофеевич Болотов (орфография и пунктуация XVIII века):

«…приведя людей в молодой лесок велел на лужайках и прогалинах между кустьями выбирать места с наилучшими травами и с полевыми цветками, чтоб на каждой дернине было цветов как можно больше. Велел я дерн драть как можно толще, дабы коренья как можно меньше были подрезываемы, да и на телеги класть оные в один ряд, а не друг на друга. По привезении не медля велел его на приготовленные места класть, и не просто, а со следующей предосторожностью: каждое место, где дерну лечь доводилось приказывал я наперед исчеркать либо ножом, либо лопатою. Взъерошив поверхность земли, вливать на оную из ведра или кувшина несколько воды. Составив на сем месте равно как грязь, класть скорее на него прирезанный и приготовленный дерн. Сим образом поступать с каждою дерниною и получил

Деревянная мебель и деревянный же подсвечник.

Каркас стола и сидений сделан из металла, столешница и сиденья — из дерева.

несравненно множайшия выгоды: как коренья травяные будучи не слишком под-
резаны и не имея времени обветриться,
ложились не на сухое место, а в грязь,
то соединялись с землею несравненно
плотнее и из всех трав не пропала почти
не единая. И я имел удовольствие видеть,
что не только травы, но и самые разно-
колерные цветы ни мало не завяли, и не
только цвели как в лесу и на лугу, но по
отцветании начали производить свои се-
мена. Прилежное, а особливо для быв-
шей в сие лето великой засухи поливание
способствовало скорому приживанию.

Сим образом советую я теперь и вся-
кому произвесть у себя хороший дерн.
Не излишне почитаю присовокупить к се-
му практические замечания:

— дерн употреблять только лесной
и луговой;

Скамьи и контейнер между ними выполнены из дерева.

Из бревен сделаны не только скамьи со столом, но и светильники.

— в особливости надобно искать такового дерна в местах сенокосных между редкими кустарниками;

— для устилания дерном вешнее время несравненно удобнее, нежели летнее и осеннее;

— надобно о том иметь попечение, чтобы под дерен не попадала слишком хорошая, а особливо навозная земля, а чтоб земля была б с наглинком;

— все назначенные под устилку дерном, а особливо обрезные места надлежит убивать наперед как возможно крепче, дабы земля колико можно более походила на материк; однако сие разумеется более о местах убираемых регулярно и по симметрии, а особливо для ступеней, лавочек, крылцев. Что же касается мест убираемых под натуру, где всякого рода неровности составляют самое существо украшений, там холмы, бугры и пригорки можно без дальнего убивания одевать дерном; нужно только хоть несколько землю потоптать, а впрочем оная сама со временем сядет;

— важно, чтоб одеваемая дерном земля не была суха, а имела в себе довольно влажности, ибо сие поможет несравненно больше, нежели вся наружная поливка дерна сверху, которая хотя также нужна, особливо в первыя недели».

Независимо от способа выращивания дерн плотно придавливают к земляной основе и поливают, между дерном и основой не должно быть воздушных полостей.

Нужен ли дерновой скамье уход? Несомненно. Она требует обильного регулярного полива, траву нужно регулярно стричь, конечно, не косилкой, а ножницами, необходимы регулярные подкормки.

Можно заменить траву почвопокровными растениями, они менее капризны, хотя тоже требуют ухода, хотя газон, пожалуй, смотрится интереснее всего. К сожалению, дерновые скамьи даже при внимательном уходе не очень долговечны, но несколько лет простоят.

Все проблемы с дерновой скамьей сторицей окупаются восторженными восклицаниями гостей, впервые увидевших это чудо в вашем саду, а также тем удовольствием, которое вы получите, присев хотя бы и на минуточку, на эту живую зеленую скамью.

> Деревянная скамья менее долговечна, чем металлическая или каменная, но часто она комфортнее. Дерево с годами старится и становится все привлекательнее, создавая ощущение, что и сад создан не вчера, это именно то, чего так не хватает садам вновь созданным.

МЕБЕЛЬ ИЗ БРЕВЕН И ПНЕЙ

Если вам посчастливилось получить в собственность или долгосрочную аренду кусочек леса или хотя бы найти в лесу несколько бревен или пней, то вы сможете изготовить практичную, долговечную и весьма оригинальную мебель. Лучшие породы для бревен и пней — дуб, лиственница, сгодится и сосна. Какую бы породу вы не выбрали, кора слезет достаточно быстро, но древесина прослужит много лет. Если вы хотите, чтобы ваша «мебель» стала еще долговечнее, обработайте ее каким-нибудь материалом, предохраняющим от гниения.

Стулья из стволов и веток.

Добротная качественная скамья.

МЕБЕЛЬ ИЗ КОЛЕС

Одна из главных вещей в садовом деле вообще и в изготовлении садовой мебели в частности — энтузиазм. Сделайте свой сад неповторимым! Творческий человек превращает в произведение искусства все, к чему прикасается. Совершенно необыкновенные скамьи можно создать с использованием колес для телеги. Если у вас есть два колеса, вы можете использовать их в качестве боковин скамьи, прибить поперечины на уровне центра колеса и положить на них горизонтальное сиденье. Другой мастер использует эти два колеса по-иному. Одно колесо он распилит пополам, соединит обе половинки и получит… спинку скамейки. А из второго колеса сделает для этой скамейки садовый стол, заполнив предварительно пустоты между деревянными спицами деревянными же клиньями — чтобы в «дырки» ничего не проваливалось.

СКАМЬИ В ПОДПОРНОЙ СТЕНКЕ И В ЖИВОЙ ИЗГОРОДИ

Есть невероятно оригинальные скамьи. Можно, например, укрепить на подпорной стенке деревянное сиденье, принести несколько ярких подушек, очень неплохо добавить изящнейшую кованую спинку. Садово-мебельный шедевр готов!

Подпорную стенку можно использовать в качестве задника скамейки, соорудив сиденье из горизонтально распиленных половин бревен, установленных на вертикально стоящие большие камни, закрепленные в стенке.

Концептуально мыслящим садоводам можно попробовать сделать стилизован-

Белые скамьи очень нарядны.

Какой хороший зеленый цвет!

Роскошная белая скамья из металла.

ную деревянную скамью продолжением линии живой изгороди. Очень необычно, но удобно для сидения и любования садом.

СТОЛ ДЛЯ ПИКНИКА

Столом для пикника принято называть такую конструкцию, в которой стол «намертво» соединен со скамейками. Вряд ли найдется человек, который откажется получить удовольствие от еды на свежем воздухе. На природе так приятно расслабиться и беседовать, наслаждаясь общением и вкусными блюдами. Это стационарная мебель, которую не надо вытаскивать или раскладывать. Такой стол очень прочен, устойчив и красив. Как правило, за ним могут разместиться минимум 8 человек, он длиннее и шире большинства обыч-

Такой голубой цвет очень хорошо смотрится в саду.

ных столов, минимальный размер столешницы составляет 1,6 × 1,8 м. Высота стола 72 см. Поперечные рамы под столешницей можно украсить декоративными узорами, а в центре столешницы сделать отверстие для установки зонта от солнца.

ОБЕДЕННАЯ СКАМЕЙКА ИЛИ СКАМЕЙКА В ЗОНЕ ОТДЫХА

Такая скамейка (одна или несколько) стоит у большого летнего стола под навесом, в зоне отдыха или зоне барбекю, там, где готовят и едят на свежем воздухе. Возле площадки для барбекю скамья обычно большая, чтобы на ней могла поместиться вся компания, чаще здесь ставят несколько скамеек. Участки для отдыха и детские площадки — одни из самых важных функциональных зон в саду. Именно скамейки превращают их в места приятного времяпрепровождения, они предназначены не для эффектного завершения перспективы или привлечения внимания к открывающему виду, а для комфортного расположения во время обеденной трапезы, традиционного вечернего чаепития, а также удобного размещения наблюдающего за играющей малышней.

СКАМЕЙКА НА ДЕТСКОЙ ПЛОЩАДКЕ

Скамейка на детской площадке может быть самой обычной. А можно устроить здесь скамью, которая носит экзотическое название «Касса-панка», что означает в переводе с итальянского сундук плюс скамья. Этот вид мебели появился в эпоху Возрождения в Италии (XV–XVI вв.) — к большому сундуку приделали спинку и поручни и поставили на подиум.

В те давние времена это была сословная мебель, свидетельствующая о принадлеж-

Замшелая каменная скамья — вещь с историей.

На выразительные камни положено деревянное некрашенное сидение.

ности ее обладателей к привилегированному и богатому слою общества. С помощью тюфяков и подушек она легко превращалась в ложе. Торговый люд хранил в ней деньги и другие ценности. Купцы предпочитали сидеть на ней, что было нелишне в те опасные времена. С итальянской касса-панки начались и сберкассы, и банки.

Такая скамья с ящиком под ней поможет навести порядок на детской площадке, если вы приучите ребенка складывать туда игрушки. Нечто подобное можно организовать и около гидротехнического сооружения типа водопада или фонтана, спрятав туда все необходимые электрические приспособления. Можно хранить там садовые инструменты. Касса-панка это скамья и мини-сарайчик одновременно.

МАТЕРИАЛЫ ДЛЯ ИЗГОТОВЛЕНИЯ СКАМЕЕК

Скамейка, которой суждено стоять под открытым небом, по определению должна противостоять солнцу и дождю, ветру, снегу и граду. Для изготовления скамеек используют самые разные материалы: дерево, кованую сталь, алюминий, пластик, камень, стекло, синтетическое волокно хуларо. Каждый из материалов, используемых для изготовления садовой мебели, имеет свои достоинства и недостатки. Нередко скамейки сочетают в себе металл и мрамор, стекло и дерево, камень и мозаику, бетон и дерево и т.д.

Выбор материалов, из которых можно сделать удобную скамью или лавочку, достаточно велик. Скамейки бывают:

– деревянные;

– металлические;

– каменные;

– комбинированные;

– пластиковые;

– из искусственного ротанга (хуларо);

– дерновые.

Дерево

Самым распространенным материалом, из которого делается садовая мебель, на сегодняшний день остается дерево. Деревянная скамья покоряет натуральностью, близостью к среде, в которой ей суждено стоять долгие годы. Дерево прекрасно поддается обработке и позволяет создать скамейки любой формы, вписывается практически в любой сад, создает атмосферу уюта и тепла.

При разработке дизайна скамеек не стоит замыкаться на стандартных «скамеечных» мотивах. Очень хорошо в саду смотрятся скамейки из минимально обработанных бревен. Аляповатая скамейка испортит впечатление от сада, даже если сидеть на ней удобно. К качеству и дизайну садовой мебели надо подходить крайне требовательно, здесь многое зависит от вашего художественного вкуса.

Древесина, как и любой органический материал, не слишком устойчива к природным стихиям. Немногие породы дерева способны долго стоять на улице без специальной обработки: это тик, бук и лиственница, теперь к ним добавился экзотический эвкалипт.

Тик имеет плотную структуру, содержит большое количество масел и клейких веществ, поэтому не гниет, не рассыхается, не боится морозов, хорошо переносит смену температур и влажности. Его древесина не нуждается в дополнительной обработке водостойкими лаками. Со временем, через два-три года, под воздействием окружающей среды дерево меняет свою окраску, начинает сереть и становится, на мой взгляд, еще более красивым и благородным. Если же вам хочется сохранить естественный золотисто-коричневый цвет, обработайте его специальными средствами, например, тиковым маслом. То же происходит и с эвкалиптом, садовую мебель из которого привозят к нам из Вьетнама, она устойчива к атмосферному воздействию.

Бук и лиственница делят второе место по устойчивости к погодным катаклизмам. Мебель, сделанная из них, должна обязательно покрываться несколькими слоями лака, и только после этого ее можно держать в саду. Хороша мебель из северной сосны, которая благодаря обработке по современным технологиям весьма устойчива к воздействию погоды.

Для продления срока службы деревянные скамейки подвергают обработке. Самый распространенный способ защиты — окрашивание олифой, масляными красками, эмалями и лаками; однако защита будет более действенной, если деревянные конструкции перед нанесением красочных слоев обработать антисептиками. Хорошо подумайте над тем, в какой цвет покрасить скамью. Белый цвет резко выделит все линии скамьи на фоне зелени, поэтому они должны быть безупречны, на белых скамейках очень заметна грязь, например, после дождя, но смотрятся в саду такие скамейки нарядно и эффектно. Окраска в разные цвета полосочками или ромбиками чаще всего «убивает» скамейку, и та выглядит нелепо. Не радуют ярко-зеленый и коричневый цвета, хотя многие дачники по традиции предпочитают их всем остальным. Прекрасно смотрятся деревянные скамьи, у которых видна фактура и цвет древесины. Для этого лучше всего использовать специальные прозрачные пропитки, которые естественно изменяют оттенок древесины, но не скрывают ее рисунок. Постарайтесь найти достойные варианты окраски, которые гармонично впишутся в садовую композицию. Хороша садовая скамья приятного голубого цвета, повторяющего цвет забора.

Колеса можно использовать и в качестве боковин.

В Шотландии к скамейкам принято прикреплять памятные таблички

Дизайнерская скамейка не останется незамеченной.

Хотя деревянная мебель менее долговечна, чем металлическая или каменная, часто она оказывается более комфортной. Дерево, старея, с годами становится только привлекательнее, создавая ощущение, что и сад создан не вчера, это именно то, чего не хватает недавно созданным садам-новоделам.

Металл

Прочная и долговечная металлическая мебель традиционно используется в саду. Изящные скамьи с элементами ковки или литья привносят в сад элемент роскоши. Изысканное кружево кованых изделий уместно в нарядном ухоженном саду. Кованые скамейки — неотъемлемый атрибут садов эпохи модерна и современных вариантов этого стиля.

Кованые скамейки, пожалуй, никогда не выйдут из моды, с затейливыми завитушками, цветочками и листочками — они делают сад таким романтичным. А патина — всего лишь специальное покрытие, которое мастера художественной ковки по вашему желанию нанесут на готовое изделие. Кстати, кованая — не значит тяжелая. При изготовлении индивидуальной мебели за основу берется полая металлическая трубка или пластина, поэтому кованые изделия получаются не тяжелее деревянных.

Скамьи и диваны либо целиком делаются из кованого железа, либо металл берется для каркаса, а дерево — для спинок и сидений. Чтобы сидеть было мягко и уютно, можно дополнить скамейку мягкими подушками с завязками или без. Кованая скамейка будет служить много лет, но придется периодически протирать ее влажной губкой и натирать воском. Такие скамейки прекрасно вписываются в ландшафт.

И те, кто ценит достоинства металла, но считают ковку старомодной, могут сделать выбор в пользу металлической мебе-

ли. Такая мебель проста в использовании и нетяжела, она делается из алюминия и гальванизированной стали. Иногда основа выполняется из чугуна, а алюминий играет роль отделочного материала; сиденья и спинки скамеек могут выполняться из полиэстера или металлической сетки.

Кованую мебель принято красить в черный матовый цвет, иногда ее искусственно старят. Литая мебель, как правило, производится из алюминиевых сплавов, литейных марок стали или чугуна. Кованые и литые изделия должны быть хорошо покрашены, так как с мест, где нарушена окраска, обычно начинается коррозия. Литье часто дешевле дерева или ковки. Популярностью пользуется алюминий. Он устойчив к воздействию окружающей среды, не ржавеет и, главное, чрезвычайно легок. Ножки любой металлической мебели должны иметь широкое основание, иначе она будет проваливаться в землю и стоять неустойчиво.

Камень

Эффектны и долговечны скамейки из природного или искусственного камня. В холодную погоду на каменной скамье долго не посидишь, поэтому ее сиденье часто выполняют из дерева. Особняком стоит мебель, вырезанная из натурального камня или отлитая из бетона. Эти изделия — не столько садовая мебель, сколько произведение искусства. Цена у них соответствующая, отнюдь не демократичная.

В духе китайских и японских садов сиденья и столы из камней. Это очень красиво и необычно. С помощью подобной «мебели» можно поддержать колорит уголка сада, сделанного в восточном духе.

Пластик

Скамейки и стулья из пластика дешевы, их легко содержать в чистоте и пере-

Укрепите на подпорной стенке деревянное сиденье, принесите несколько ярких подушек, добавьте изящнейшую кованую спинку... и садово-мебельный шедевр готов.

Китайцы делают из камней вполне утилитарные вещи типа стола и сидений.

мещать из одного уголка в другой, но они смотрятся проще любых других, хотя бывают вполне симпатичными. Пластиковая садовая мебель делается из долговечного полипропилена, и ее ассортимент отнюдь не исчерпывается дешевыми пластмассовыми наборами из стола и стульев, которые стали популярной садовой мебелью на наших дачах. Есть пластиковая мебель, которая выглядит более солидно и благородно, она прочна и прослужит многие годы, нередко пластмассовые части сочетаются с металлическими. Ее легко мыть, она не боится влажности и мороза, а полимеры, используемые при изготовлении такой мебели, устойчивы к перепадам температуры и ультрафиолетовому излучению. Пластиковая мебель чаще всего

теная мебель относительно быстро выходит из строя, размокает и растрескивается и, если стоит под открытым небом, служит всего лишь один сезон, поэтому лучше ее использовать в беседке, на веранде или под навесом.

Не так давно появился новый синтетический материал хуларо, состоящий из каучука и искусственных добавок, изначально он предназначался для обработки скользящих поверхностей лыж и сноубордов. Из этого материала делают круглые в сечении, похожие на ротанг толстые нити или толстые полоски шириной около 1 см, из которых плетут садовую мебель. Полотно, вручную сплетенное из хуларо, надевают на алюминиевые каркасы. Мебель из хуларо не нуждается

> *Дизайнеры умело используют сочетание материалов, пытаясь максимально удачно сочетать практические и эстетические достоинства каждого из них.*

бывает белого, синего или зеленого цветов — эти оттенки лучше всего вписываются в сад. Столешницы дорогих пластиковых столов часто имитируют мозаику или камень. На такой поверхности менее заметны неизбежные царапины, чем на однотонной и гладкой, да и выглядит она более интересно.

Хуларо, искусственный ротанг

Плетеная мебель для многих символизирует расслабленный летний отдых, но мебель, сплетенная из натуральных материалов, таких как ротанг, абака (текстильный банан), тростник и ивовые прутья, в нашем климате плохо приспособлена к жизни под открытым небом. Несмотря на все ухищрения по обработке материала, пле-

в специальном уходе, ее можно просто протирать или мыть водой из шланга. Она приятна на ощупь и легка, выдерживает любую погоду, устойчива к ультрафиолетовому излучению, большим перепадам температур и механическим нагрузкам. Ее единственный, но существенный недостаток — высокая цена. Часто хуларо называют искусственным ротангом, внешне они похожи, но мебель из натурального ротанга простоит на улице лишь сезон, из хуларо — долгие годы. Хуларо не уступает натуральным материалам по внешнему виду, но существенно превосходит их по долговечности. Этот материал изготавливается разных цветов, ширины и фактуры, имитирует разные природные материалы, рисунок плетения из него может быть лю-

Горшки подобраны под цвет скамьи.

Нарядный рисунок спинки скамьи.

бой. С каждым годом мебель из хуларо становится все популярнее.

Сочетание материалов

Садовая мебель не всегда делается с использованием только одного материала, дизайнеры умело используют и сочетание материалов. Тик и хуларо, камень и стекло, алюминий и ткань соединяют так, чтобы максимально удачно сочетать практические и эстетические достоинства каждого материала. Интересно обыгрывается, например, различие фактур и цвета: стекло сочетается с металлом, ковка с деревом, а сиденья и спинки тиковых скамеек делают из хуларо. Для сидений часто используются сетчатые синтетические ткани. Они быстро сохнут, не выгорают, а сидеть на них мягко, поэтому вам не потребуются дополнительные подушки, которые так часто мы не успеваем или забываем убрать перед дождем.

НЕ МЕБЕЛЬ

Есть ряд посадочных мест в саду, не являющихся собственно мебелью. Можно ли назвать скамью, выполненную из части подпорной стенки, декорированной деревом, или засаженного травой грунта мебелью в привычном смысле этого слова? Вряд ли. Однако такие «садовые штучки» существуют очень давно и становятся все более популярными. Прежде всего вспоминается дерновая скамья, устройство из дерна в виде выступа для сидения. Ее даже И. Е. Репин рисовал. Эта картина «На дерновой скамье. Красное село» (1876 г.) хранится в Государственном Русском музее в Санкт-Петербурге. Не возбраняется и вам сделать дерновую скамью в собственном саду.

Любопытно смотрятся скамьи из стриженого кустарника. Если горизонтальную поверхность для сиденья покрыть деревом, на ней вполне удобно сидеть. Авангардную скамью можно сделать из габиона (габион — это такая специальная конструкция из металлическая сетки, заполненная крупной галькой). Пара цветных подушек — и габион превращается… в уютную садовую скамейку.

Жители Средиземноморья и Южной Америки обожают скамьи, облицованные керамической плиткой. Как приятно посидеть на таких роскошных прохладных скамейках в сильную жару, жаль, что в нашем климате такие скамейки вряд ли уместны. Зато в нашей полосе очень уместны сани, это «русское зимнее средство передвижения» вполне может выполнять в летнем саду функцию скамьи или даже лежанки. А как органично смотрятся рядом с ними деревянные скульптуры!

Параметры скамеек (высота и ширина спинок и сидений) давно известны, вот тут как раз не стоит ничего изобретать, просто примите к сведению. Существует два типа скамей — с опорной спинкой, предназначенные для продолжительного отдыха, и без спинки — для кратковременного. Оптимальная высота скамейки со спинкой — 40–50 см. При такой высоте ноги удобно опираются на землю и отдыхают. Ширина сиденья должна составлять 50–55 см. Чтобы спинка скамейки комфортно поддерживала тело, сиденье лучше сделать с небольшим (5–12 градусов) наклоном вовнутрь. Сама же спинка должна иметь наклон 15–40 градусов. Первые продольные рейки спинки крепятся на высоте 16–18 см от сиденья, так как на этом уровне начинается изгиб позвоночника. Высота всей спинки — 35–45 см. Подлокотники устанавливаются на высоте 15–20 см от сиденья. Высота скамейки без спинки, как и ее ширина, составляет 40–50 см.

Мебель из искусственного ротанга не нуждается в специальном уходе, ее можно мыть водой из шланга, она приятна на ощупь и легка, выдерживает любую погоду.

Сани с успехом выполняют в саду роль скамьи и даже лежанки.

МОСТЫ И МОСТИКИ, МОСТКИ И ПОМОСТЫ

МОСТЫ И МОСТИКИ

Мосты и мостики — это сооружения различной конструкции, с помощью которых можно преодолеть какое-либо препятствие, например, реку, ручей или овраг. Иногда утверждают, что мосты возможны только в больших садах, на мой взгляд, мостики хороши и в садах малых.

Являясь естественным продолжением дорожки, они не только дают возможность перейти через что-то водное или неудобное, но и позволяют сделать прогулочный маршрут более интригующим. Их строят через стремительные и тихо журчащие ручьи, ими соединяют остров, расположенный в центре большого пруда, с его берегом, с помощью мостиков «форсируют» водное пространство или неудобные мокрые места. Конечно, мостики в первую очередь имеют практическую ценность, но они делают впечатление от пруда или ручья более сильным.

Требования к мостикам

Мостик будет стильно выглядеть и органично вписываться в садовое пространство, только если его дизайн хорошо продуман. Чем меньше сад, тем более простой должна быть конструкция мостика и более нейтральной его окраска.

Требования, предъявляемые к мостикам:

1. Мостик должен быть красивыми, гармонировать с садом и домом, его отражение в воде должно быть интересным.

2. Мостик должен быть функциональным. Если он поставлен случайно, просто так, то выглядит неуместно. Сильно выгнутый мостик воспринимается скорее как преграда, нежели как переправа. Он должен быть удобным, ведь по нему будут ходить, скорее всего, не акробаты, а обычные, может быть, даже пожилые люди. Его концы следует отодвинуть подальше от берегов, чтобы он не казался куцым.

3. Конструкция мостика должна быть прочной, удобной, долговечной, устойчивой, а та поверхность, по которой проходят, нескользкой, особенно если это проход над водой или оврагом для круглогодичного использования. В случае широкого ручья или большого пруда мостик нужно сделать с перилами с одной или двух сторон, чтобы по нему было безопасно ходить.

Минималистский мостик через узенький ручей — место для мудрого изречения.

Выбор стиля и места

Конструкцию и материалы для мостиков подбирают исходя из стиля дома и сада, они должны сочетаться с обликом беседки и фонарей, расположенных рядом.

Мостики незаменимы на низменных или заливаемых весной участках, где нужно проложить путь между постройками или сделать переправу через овражек. Иногда их строят для выделения какого-либо объекта или придания участку завершенности, можно оформить в виде мостика деревянную дорожку, ведущую к беседке.

Перекидной мост можно установить как над прудом и речкой, так и над «сухим» ручьем или водоемом. Мостик перебрасывают с одного берега на другой, логично устраивать его в самой узкой части водоема, при этом мостик делит площадь водного зеркала на две, не одинаковые по размерам части, соотношение которых лучше всего просчитать по правилу золотого сечения. И назначения этих двух частей одного водоема могут быть разными, например, в одной может быть купальня для людей, а в другой — место, где благоденствуют нимфеи, одна может быть глубоководной, а другая — более мелкой.

Являясь неотъемлемой частью дорожки, мостики могут играть роль смотровой площадки над водной гладью. Отсюда удобно любоваться деревьями, растущими вдоль берега и отражающимися в воде, цветущими нимфеями, фонтаном или водопадом, красивыми рыбками.

Садовый мостик — обязательный элемент японского и китайского сада. В водном зеркале отражается небо, береговая растительность, первые лучи восходящего солнца, пруд в китайском стиле невозможно представить без изящных деревянных или каменных мостиков, хороши они и над быстрыми ручейками.

Мостик может быть монолитным, а можно сделать его в виде пошаговых плит из натурального камня, валунов или даже больших дощатых кругов или квадратов. Мелкий пруд станет гораздо привлекательнее, если положить в воду несколько камней, пройдя по которым можно оказаться на другом берегу. Особенно эффектно, если эти камни сочетаются с материалом оформления береговой линии. Камни подбирают примерно одного вида и примерно одной величины. Такая переправа возможна при глубине водоема не более 45 см. Верхняя поверхность такого пошагового мостика должна быть выше водной глади на 10 см. Минимальный диаметр камней или плит должен составлять около 60 см, тогда вы сможете на них уверенно стоять. Камни укладывают тщательно и прочно, с таким расчетом, чтобы между их центрами было расстояние 60–65 см, то есть величина шага.

Сделать водную пошаговую дорожку из плоских камней или плит мощения достаточно просто:

1. Освободите водоем от воды и в нужных местах уложите на дно с помощью строительного раствора толщиной примерно 5 см фундаментные камни подходящего размера. Верхняя поверхность их должна находиться в одной горизонтальной плоскости.

2. Когда раствор затвердеет, уложите на строительный раствор на каждый камень по четыре кирпича (по 2 штуки в 2 слоя, один слой перпендикулярно другому), верхняя поверхность кирпичей должна будет потом чуть выступать над водой.

3. Уложите на кирпичи сверху с помощью раствора плиты мощения или плоские камни диаметром около 60 см.

Пошаговый мостик из валунов с плоской верхней поверхностью.

Зигзагообразные мостики родились в Китае.

Чтобы мостик не выглядел куцым, он должен начинаться подальше от берегов.

Небольшой мостик из старых половых досок для прохода по мокрому месту.

Уникальный арочный валунный мост в усадьбе Василево близ Торжка.

Мост из цельного необработанного камня выглядят естественно и «очень по-японски».

4. Спустя 2–3 дня, когда раствор окончательно затвердеет, заполните водоем водой. По этой дорожке-мостику уже можно ходить.

Интересно использовать в качестве перехода по мелководью валуны неправильной формы с плоским верхом, особенно хороши такие «мостики» в ручьях, где вода образует вокруг камней завихрения. Можно использовать не натуральные валуны, а их бетонную имитацию. Подберите подходящие по форме камни, которые не разрушатся от постоянного контакта с водой и от морозов, и делайте так:

1. Слейте воду из водоема и уложите каждый валун на толстый слой густо-го строительного раствора плоской поверхностью вверх. По высоте выровняйте их с помощью раствора или бетонных плит, уложенных незаметно под камни. Верхняя часть камней должна лежать в одной горизонтальной плоскости.

2. Дайте раствору высохнуть в течение 1–2 дней.

Мостик не может появиться в каком-то месте случайно, к нему обязательно должна вести дорожка, кстати, он удачно соединит разные по фактуре дорожки. Если ручей или пруд получился не очень интересным, мостик отвлечет от него внимание и сделает более впечатляющим.

Привлекательность этого садового элемента так велика, что иногда мостики сооружают при отсутствии практической надобности, например, деревянный мостик на сухом участке, ведущий к деревянной беседке, указывает путь и дает ощущение единства стиля.

Эффектно смотрятся мостики в немецком ландшафтном парке в Верлице, созданном в конце XVIII века. Осмотреть его целиком лучше всего с воды, во время лодочной прогулки по озеру и примыка-

ющим к нему многочисленным каналам, можно это сделать, прогуливаясь по берегам и мостикам. Лучшими видами стоит полюбоваться, сидя на многочисленных скамейках. Сад наполнен всевозможными малыми архитектурными формами, в том числе оригинальными мостами, совершенно не похожими один на другой. В каждое мгновение, проплывая под ними на лодке, видишь только один мост, сменяя друг друга, они создают калейдоскоп волшебных картин.

Мостик украшает элегантная ковка в стиле модерн с причудливо переплетающимися линиями.

Материалы для изготовления мостиков

При сооружении и отделке мостиков используют те же строительные и отделочные материалы, что и для мощения дорожек и площадок, облицовки беседок и стационарных барбекю, а также при оформлении береговой линии пруда или ручья.

Часто для продления срока службы мостиков применяют комбинацию из дерева и металлической основы, которая непосредственно соприкасается с водой.

Камень

Если в саду есть композиции из камней, то и мост может быть каменным, например, из песчаника или гранита. Для того чтобы проложить мостик через узкий ручей, вряд ли стоит сооружать громоздкую конструкцию, здесь будет практична и произведет сильное впечатление большая плита из песчаника, положенная на оба берега ручья, такие мосты из цельных необработанных камней выглядят естественно и очень по-японски. Если в вашем распоряжении нет такого большого камня, можно выполнить каменный мост с помощью двух стальных балок или толстых бревен и нескольких достаточно больших каменных плит, покрывающих их.

На территории усадьбы Василево (близ Торжка) в конце XVIII века архитектором Н. А. Львовым был сооружен уникальный стометровый арочный валунный мост с гротами. Валуны удерживаются только под действием собственного веса, без применения цемента, бетона или других связывающих компонентов. Если вынуть замковый камень в вершине, то свод рассыплется.

Металл

Саду в стиле модерн подойдут элегантные кованые мостики из металла со слож-

Перила в виде провисшей веревки — явная китайская стилизация.

Если перед фасадной частью забора проходит дренажная канава (такое часто бывает в садовых товариществах), то мостик перед калиткой очень уместен.

Перейдя этот мост, вы попадаете в японский сад.

Мило смотрится березовый мостик длиной 2,5 м через ров со стоячей водой на опушке леса.

ным орнаментом из цветов с причудливо переплетающимися линиями. При окислении металла на воздухе образуется естественный налет патины, который придает особый шарм всей конструкции, можно использовать и искусственно патинированный металл. Хорошо смотрится

можно поставить металлические фигурки животных.

Дерево

Стиль и пропорции деревянного моста целиком зависят от стиля оформления участка, важно продумать все эле-

> Привлекательность мостиков так велика, что иногда их сооружают при отсутствии практической надобности, например, деревянный мостик на сухом участке, ведущий к деревянной беседке, указывает путь и дает ощущение единства стиля.

металлический мостик, частично увитый небольшой изящной лианой, например княжиком. Около подобного мостика

Бамбуковый мостик придаст восточный колорит уголку сада, его перекидывают через «мокрый» ручей или стилизованный гравийный.

менты садового дизайна, выдержать их в едином стиле, избежать эклектики и дисгармонии.

Прямой мостик длиной до 2,5 м состоит из опор, пролетов, настила и ограждения. Для опор берут толстый брус или просмоленные бревна, которые укладывают на опорные площадки в виде уступов на береговых склонах. Иногда этим и ограничиваются, от такого мостика веет суровым минимализмом, но переходить ручей по нему страшновато, это скорее арт-объект. В большинстве случаев поперек опор укладывают толстые доски или жерди, образующие настил. Главное требование — мост не должен прогибаться. Элементы настила укладывают со щелями, тогда на его поверхности не будет задерживаться вода. Чтобы поверхность была гарантированно нескользкой, покройте ее сверху металлической сеткой.

Ограждение — это защитная вертикальная конструкция с одной или двух сторон настила, хорошо видная издалека и придающая мостику особенно декоративный вид. Для ограждения обычно используют ритмичное повторение рисунка, например, римский крест. Можно использовать балясины, их крепят к настилу и сверху укладывают перила.

Если длина мостика составляет более 2,5 м, то на дне проема или водоема следует установить промежуточные опоры, например, бетонные или деревянные сваи. На длинном прямом мостике для крепления ограждения используют каркас.

Если на участке есть деревянные постройки из бруса или бревен, растут большие деревья, то мостики лучше делать из грубо обработанного дерева, например, сосны или лиственницы. Специальная антисептическая обработка придает долговечность всему сооружению, не искажая текстуру и цвет материала. Эффектно смотрится деревянный мостик, который, почти касаясь воды, пересекает водоем и упирается в беседку. В этом случае беседка (тоже деревянная) замыкает перспективу.

Деревянные настилы нависают над водой, создавая иллюзию, что она находится под ними, благодаря этому водоем кажется большим по размеру.

У зигзагообразных мостиков китайское происхождение, но они популярны и в Японии. Хорошо расположить такой мост через заболоченный участок, водоем или заросли японских ирисов. Зигзагообразные мосты выполняются в основном из дерева, но они бывают и каменными.

Небольшой деревянный мостик можно поставить над сухим извилистым ручьем из гравия или плоской гальки, обрамленного стелющимися кустарниками и почвопокровными многолетниками.

Если перед фасадной частью забора проходит дренажная канава (такое часто бывает в садовых товариществах), то мостик перед калиткой очень уместен.

Мило смотрится березовый мостик длиной 2,5 м через ров со стоячей водой на опушке леса. Опоры, настил и ограждение его изготовлены из неошкуренных березовых стволов и толстых ветвей. Для ограждения высотой 0,7 м использованы прямоугольники, перечеркнутые двумя диагоналями (римский крест). Такая переправа проста, прочна и устойчива, она выдержит вес двух человек.

Бамбук

Для того чтобы подчеркнуть восточный колорит уголка сада, применяют мостики из бамбука — поперек опор кладут бамбуковые палки и связывают их веревкой. Такие мостики могут быть с перилами в виде провисающей веревки, которая крепится к бамбуковым столбам. Бамбуковые мостики перекидывают через настоящие «мокрые» ручьи или через стилизованные гравийные. Неплохо поставить около края бамбукового мостика каменный японский фонарь.

К мостикам близко по значению, да и звучанию слово «мостки».

При создании пруда постарайтесь сделать так, чтобы к воде можно было подойти очень близко.

Металлические цапли с мостка заглядывают в водоем.

А эти мостки из сада под Петербургом.

К воде можно подойти и по камням.

МОСТКИ И ПОМОСТЫ

Толковый словарь русского языка Д. Н. Ушакова дает такое определение этому слову:

1. Деревянная настилка в виде мостика для перехода через реку, топкое место, овраг и пр. Пройти по мосткам через болото.

2. Помост, деревянная площадка в воде у берега реки, служащая для полоскания белья, для причала лодок и т.п.

При создании пруда постарайтесь сделать так, чтобы к воде можно было подойти очень близко. Небольшие мостки или даже несколько крупных плоских камней, по которым можно пройти некоторое расстояние от береговой линии вглубь пруда, позволят заглянуть в совершенно иной мир. Пруд — это место обитания растений и животных, за которыми чрезвычайно интересно наблюдать.

Просторные деревянные мостки, их уже скорее следует назвать помостом или настилом позволят устроить у воды зону отдыха: столик с парой кресел над водой смотрятся великолепно, отсюда открывается чудный вид. Настилы нависают над водой, создавая иллюзию того, что под ними находится вода, благодаря чему водоем кажется большим по размеру. На достаточно большом помосте можно принимать гостей, загорать в шезлонге и наслаждаться садом, нужно только оборудовать его соответствующей садовой мебелью. Помост сооружают из деревянных досок (желательно с ребристой поверхностью, которая не скользит в дождь) длиной 3–4 м и шириной 12–20 см или из наборных квадратных плит со стороной 45–60 см, составленных из досок, расположенных по диагонали или под прямым углом к раме. Минимальная толщина досок 2,5–3,0 см. Для настила ис-

пользуют древесину различных пород. Если есть возможность, лучше использовать древесину дорогих твердых пород, конечно, такой настил более долговечный и качественный. Поверхность настила нужно регулярно мыть щеткой, очищая от грязи и водорослей.

Размещение и размер настила определяется местом расположения и размером водоема, он только выиграет, если его площадь будет достаточно большой. Конфигурация деревянного настила может быть самой замысловатой, настил может примыкать к водоему, а можно сделать так, что вода будет полностью располагаться внутри него. Если над небольшим круглым прудом устроить округлые же мостки, такое повторение правильных форм усилит впечатление от этой части сада.

Садоводы часто располагают баню у большого глубокого пруда. В этом случае напротив входа у воды нужно поставить мостки, которые следует оснастить надежными перилами (если вы пользуетесь баней и купальней круглый год, то перила должны быть деревянными, если же они металлические, плотно обмотайте их канатом, чтобы не «прилипнуть» в мороз). К ступеням прикрепите толстую пластиковую сетку с ячейками 20×20 мм, чтобы не поскользнуться.

Камень и дерево прекрасно сочетаются между собой, к настилу вполне может примыкать мощеное патио, продолжением настила может служить пошаговая дорожка из камней для перехода через водоем, как бы плывущих по воде.

Инструкция по сооружению настила над водоемом:

1. Выровняйте поверхность земли, на которой будет располагаться помост, засыпьте эту площадку гравием слоем около 5 см.

Литовский вариант мостков.

2. Установите через 1,2 м бетонные блоки с углублениями для лаг, которые будут установлены таким образом, чтобы настил располагался в горизонтальной плоскости. Ориентировочный размер поперечного сечения лаг 8 × 5 см. Они не должны соприкасаться с влажным грунтом и водой. Воздух должен свободно проходить под настил со всех сторон.

3. Покрасьте деревянные части конструкции или пропитайте их защитными средствами. Проверьте с помощью уровня горизонтальность верхней плоскости опорных столбиков и прикрепите поверх них лаги.

4. Напилите доски соответствующего размера для настила, покройте их защитным составом или покрасьте и уложите. Привинтите их к лагам саморезами, оставив между досками продухи размером 5–6 мм, чтобы дождевая вода свободно стекала вниз, а доски обдувались воздухом. Проконтролируйте, чтобы ни один из винтов не выступал над поверхностью настила.

5. После того как все доски прикручены, можно прикрепить вертикально к их краям бордюрную рейку, закрыв необработанные края. Лучше выбрать ее такой ширины, чтобы она опускалась вниз до уровня воды.

КОНТЕЙНЕРЫ

Уже в Древнем Китае, Египте, Греции и Риме растения в контейнерах использовались для украшения садов и жилищ. Менялись садовые стили, но контейнерные сады не теряли популярность. В современных садах созданные в них растительные композиции декорируют зоны отдыха, входы в дом, лестницы и стены домов, фонари, подпорные стенки, дорожки около дома.

У контейнерного озеленения немало плюсов: контейнеры занимают мало места, требуют сравнительно небольших затрат (немного грунта плюс небольшое количество растений), легки в уходе, мобильны, позволяют в короткие сроки создать яркий акцент, в них легко заменить одно растение на другое.

ВИДЫ КОНТЕЙНЕРОВ

Большие контейнеры сами по себе являются эффектными элементами оформления сада. Считается, что емкость не должна доминировать над ее содержимым, но если в вашем распоряжении оказался шикарный вазон, то можно и поступиться принципами.

Традиционны в саду керамические и пластиковые горшки, но фантазия цветоводов безгранична, они используют в качестве вазонов все что угодно — тачки, бочки, пни и лодки, даже резиновые сапоги и дырявые ботинки, причем не только стилизованные керамические, но и реальную обувь. Единственное условие — должны получаться «контейнеры» с дренажными отверстиями, а не кашпо без оных. Современные контейнеры могут быть также каменными, металлическими, деревянными, изготовленными из стекловолокна, главное, чтобы они гармонировали по стилю с домом и садом. Чем больше контейнер, тем лучше чувствуют себя в нем растения. Для напольных емкостей желателен объем не менее 8–10 л, иначе потребуется слишком частый полив. Перед тем как заполнить контейнер грунтом, следует закрыть дренажное отверстие черепком или мелкой сеткой, затем насыпать слой дренажа из керамзита, гравия или камней, подойдут и осколки глиняных горшков, деревянные щепочки, ореховая скорлупа, пенопласт и пр. — примерно на четверть его высоты. Затем насыпаем грунт, состав

В керамический контейнер с боковыми отверстиями в данном случае посажены ампельные однолетники, но чаще их предназначают для земляники.

Керамический контейнер украшен льняной веревочкой.

Каменный вазон на пьедестале в центре регулярного партера.

которого зависит от вида растений, например, для рододендронов и вересков нужен кислый, торфяной. Очень помогает выращивать растения в контейнерах гидрогель. Растения в контейнерах без применения гидрогеля могут оказаться пересушенными, если нет возможности поливать их каждый день в сухую погоду. С использованием гидрогеля для них начинается новая жизнь — теперь им достаточно полива раз в 5—7 дней. Гидрогель экономит время, которое тратилось бы на полив, и деньги на покупку новых растений взамен погибших от нехватки воды.

Кристаллы гидрогеля при замачивании поглощают воду, увеличиваясь в размерах до 300 раз, и становятся своеобразными резервуарами с водой, которую при недостатке влаги в почве отдают корням. Замачивать гидрогель нужно за 8—10 ч до применения (50 г кристаллов в ведре воды). Кристаллы набухают и постепенно заполняют всю емкость, получаются такие «медузы». Можно смешивать набухший гидрогель с почвой в пропорции 1:1. Никогда не вносите сухие кристаллы при посадке растений в контейнеры и подвесные корзины, потому что после полива, при набухании гидрогель сильно увеличится в размерах и просто выдавит растение из горшка. Гидрогель практически вечный материал, его можно использовать многократно.

Украсит внешний вид контейнера с растениями мульчирование, также оно препятствует испарению влаги из земли и росту сорняков, предохраняет почву от вымывания и разбрызгивания на листья и цветы во время полива. Можно мульчировать гравием или щепой, применять мелкую гравийную отсыпку, можно закрыть поверхность мхом, собранным в лесу, или посадить почвопокровные растения типа вербейника монетчатого, низких очитков и живучек, хороши в этом

Старинный металлический контейнер на постаменте.

Эффектный контейнер хорош и без растений.

Контейнер из деревянного корыта.

Альпинарий в цинковом тазу.

В качестве контейнера можно использовать старый пень.

Контейнер из шамота удачно сочетается с камнем.

Концептуальные контейнеры из сваренных металлических листов.

качестве барвинок и плющ. Конечно, при мульчировании нельзя засыпать мульчей корневую шейку.

Растения в контейнерах нуждаются в регулярных подкормках. При посадке можно внести гранулированные комплексные удобрения, либо специальные палочки (удобрения для комнатных цветов), либо регулярно раз в неделю подкармливать жидкими удобрениями в зависимости от типа растений.

РАСТЕНИЯ ДЛЯ ПОСАДКИ В КОНТЕЙНЕРЫ

Ассортимент растений, используемых в контейнерном цветоводстве, велик — это не только однолетники, но и многолетники, в том числе луковичные, альпийские и комнатные растения, карликовые хвойные, небольшие деревья и кустарники,

даже лианы и водные растения. При посадке высокорослых экземпляров для большей устойчивости и защиты от ветра дно контейнеров утяжеляют камнями.

Итак, по порядку. Традиционные жители контейнеров — однолетники. Если коротко, то можно сажать практически любые виды и сорта, подходящие по размеру и цветовой гамме. Главное — не забывать, что в горшки нужно сажать хорошо развитую рассаду, лучше в цветении, в крайнем случае, в бутонах. Почти все летники предпочитают солнечные места, но есть и претенденты на места в тени, лучшие из них — бальзамины Уоллера. Неплохо будут себя чувствовать в тени и бархатцы.

Хороши в контейнерах многолетники. Исключительно хорошо чувствуют себя в них хосты. Такой способ их выращивания имеет несколько преимуществ:

в горшках хосты разрастаются стремительно, существуют даже специальные сорта для контейнеров — на высоких черешках, фонтановидной формы, например 'Krossa Regal' и 'Regal Splender';

в горшки не заползают слизни и не едят листья;

можно передвигать новый сорт, чтобы найти для него оптимальную освещенность.

Нравится расти в горшках и лилейникам с астильбами. Эти растения чудесно там смотрятся и хорошо нарастают. Еще один плюс — после отцветания их можно убрать с парадного места на задний план.

Оригинально и эффектно выглядят в горшках злаки. Таким образом выращивают щучку, сподиопогон, овсец. Конечно, размер контейнера должен быть пропорционален величине растения. По сравнению с другими горшечными растениями злаки доставляют значительно меньше хлопот,

Этот контейнер с циннией поставлен в центре декоративного огорода.

Яркие петунии цветут все лето.

Пеларгония и клубневая бегония — традиционное «население» контейнеров.

Пышный бальзамин Уоллера хорошо себя чувствует в полутени.

поскольку легче переносят недостаток влаги, они настолько неприхотливы, что в Германии, например, используются для городского озеленения.

Можно посадить в контейнер не декоративные злаки, а обычные, полевые, получив кусочек разнотравья в горшке. Контейнерный «летний луг» не потребует особого ухода, будет радовать вас свежестью, демонстрируя гостям необычность вашего дизайнерского мышления.

Не забывайте, что в средней полосе России все многолетние растения, летом растущие в контейнерах, зимовать должны в земле! На зиму контейнеры с однолетниками освобождают от растений; зимостойкие многолетники вкапывают в грунт, а контейнеры с неморозостойкими растениями заносят в непромерзающие или отапливаемые помещения.

Идеально подходят для контейнерного варианта луковичные. Естественно, о весеннем цветении нужно позаботиться еще осенью, посадив в контейнер луковицы в нужное время: мелколуковичные и нарциссы — в августе, тюльпаны — во второй половине сентября или позже, гиацинты — в первой декаде октября. Далее контейнер с луковицами вкапывается в землю в огороде или каком-то укромном уголке сада. Весной, когда земля оттает, вы вынете его оттуда и при появлении ростков поставите на самое лучшее место сада для любования. С лилиями еще проще: не успели посадить осенью — сделайте это весной и наслаждайтесь летним цветением. После отцветания контейнеры с луковичными убирают с глаз долой и ставят в какие-то незаметные места сада до окончания вегетации. Аналогично поступают с безвременника-

Земляника в контейнере с карманами хорошо плодоносит.

Мини-водоем в плошке.

Ампельная бегония.

Безвременники сажают в контейнеры осенью, на зиму горшки вкапывают в землю.

Тюльпаны в контейнере радуют глаз в начале мая.

ми — сажают осенью, хранят до цветения где-нибудь в «отстойнике», а в сентябре наслаждаются ярким цветением в уже чуть унылом осеннем саду.

В контейнерах интересно выращивать не только многолетники, но и кустарники и даже деревца. Самшитам в средней полосе жить некомфортно, зато отлично себя чувствуют в контейнерах спиреи и барбарисы, кизильник блестящий и смородина альпийская, очень неплохо, если вы их пострижете, например шариком или кубом. Ивы, лиственницы, декоративные яблоньки, привитые на невысокий штамб, тоже смотрятся прелестно и придают саду небольшой японский акцент.

Горные сосенки, карликовые елочки, лиственница на штамбе привлекают к себе в контейнере особое внимание, с успехом справляясь с ролью эффектного украшения патио или акцента около входа в дом. Если вы завели себе хвойное растение в вазоне, то помните: в средней полосе России неизвестны случаи успешной перезимовки таких культур в горшках. Поэтому елочку, сосенку и их колючих родственников необходимо вкопать в землю прямо вместе с контейнером. В случае если он слишком тяжел или чересчур красив, осторожно выньте растение из контейнера вилами (не расколите керамику!) и перевалите в землю. Весной осуществите обратную операцию.

Розам тоже нравится обитать в горшках, особенно нарядны тут почвопокровные «царицы цветов» и сорта мускусных роз 'Моцарт' и 'Балерина'. Понравится в горшках и штамбовым розам, да и «заваливать» их для укрытия на зиму в горшке проще.

В достаточно большом контейнере или в нескольких средних по объему можно организовать мини-огородик. Конечно, огородик в контейнере — баловство, но очень милое и симпатичное. Комфортно

Особо продвинутые цветоводы выращивают в контейнерах злаки.

Красивый керамический контейнер с однолетними биденсом и лантаной.

чувствуют себя в горшках пряные травы (петрушка, укроп, тимьян, розмарин, мята, мелисса и пр.), шнитт-лук, салаты, помидорчики черри, декоративные перчики, земляника. Добавьте туда для пущей декоративности «огородные» полезные цветочки типа настурции, календулы и бархатцев — и восторг гостей вам обеспечен. Таким контейнерам самое место около барбекю или мангала. Розмарин в горшке на зиму переселится на подоконник или застекленную лоджию и там успешно перезимует. Так же поступаем с цитрусовыми и прочими неженками, например с агапантусом. А земляника с тимьяном вкапывается в землю на участке.

Итак, это важно, повторим еще раз: на зиму контейнеры с однолетниками освобождают от растений; зимостойкие многолетники, деревья, кустарники, хвойные вкапывают в грунт, а контейнеры с неморозостойкими растениями перемещают в непромерзающие или отапливаемые помещения.

При использовании контейнеров есть возможность каждый год создавать что-то новое, воплощая все новые и новые идеи. Хороши композиции, включающие в себя все оттенки зеленого с привлечением растений с бело-пестрой или серебристой листвой. Совершенно очаровательно выглядят композиции в желтой гамме или серебристо-розовой. Для любителей ярких сочетаний все еще проще, сажайте любые летники вместе, будет очень оптимистично, но при составлении цветочной композиции, расположенной около дома, непременно учтите его колористику.

Даже крохотный водоем в контейнере придает месту, где он установлен, исключительную привлекательность. В качестве контейнера подойдет любая емкость (деревянная кадка, керамическое кашпо, фарфоровая ваза и пр.) высотой не менее 40 см

В горшке с карманами хорошо смотрится ампельная лобелия.

Украшение серого контейнера — яркие молодила.

Хостам нравится расти в контейнерах.

и диаметром не менее 50–60 см, не пропускающая воду или застеленная водонепроницаемой пленкой.

Мини-водоемчик не стоит устанавливать на солнечном месте, где вода будет сильно нагреваться, цвести, ее надо будет постоянно менять. Если мини-водоем поставить в тенистое место, то вполне возможно завести в нем золотых рыбок. В сильно затененном месте не захочет цвести кувшинка, ей потребуется 5–6 часов солнечного освещения. Миниатюрной кувшинке вполне достаточно глубины 30–50 см.

В течение всего сезона нужно внимательно следить за состоянием рыбок и растений, доливать или менять воду. На зиму контейнеры нужно обязательно вымыть и убрать, а рыбок и растения отправить зимовать в комнатный аквариум. Где будет зимовать нимфея? Либо в более глубоком водоеме (80 см), если он есть, либо вы просто вкопаете контейнер с ней в обычную грядку, подойдет и погреб. Если предыдущие варианты невозможны, упакуйте нимфею в мох сфагнум и перфорированный полиэтиленовый пакет и поместите в холодильник.

Если устроить в таком мини-прудике фонтанчик, будет еще интереснее. Красивый водный пейзаж в контейнере и тихий звук журчащей воды.

Мини-водоем хорош тем, что его можно расположить в любом садовом окружении, даже вкопать в землю, полностью или на часть высоты.

Альпинарий в контейнере в российских садах встречается еще реже, чем мини-водоем. Пожалуй, создание альпийского ландшафта можно назвать вершиной контейнерного садоводства. Нужно не только изучить ассортимент альпийцев, их непростую агротехнику и добиться, чтобы редкие растения хорошо себя чувствовали, но и гармонично вписать альпийскую кол-

Контейнеры могут украсить тенистое местечко.

Эта керамическая плошка с петуниями маскирует канализационный люк.

Шикарный бонсай из сосны.

Контейнерный садик с хостами.

лекцию в сад. Не знаю, можно ли в современной Англии найти каменное корыто, когда-то служившее кормушкой для скота, в России это вам вряд ли удастся, у нас пользовались деревянными. Но не расстраивайтесь! Существует простая технология, позволяющая в домашних условиях получить почти настоящее «каменное» корыто, обмазав любую емкость, например, раковину, замешанной на воде смесью цемента, крупного песка и просеянного торфа (1:1:1), которая называется гипертуфом. Перед покрытием на поверхность наносят 2–3 слоя водостойкого строительного клея, затем по еще мокрому клею рукой в перчатке или мастерком наносят раствор, начиная с низа раковины. Высыхать изделие должно медленно, если стоит жара, накройте его влажной мешковиной или полиэтиленом. Для того чтобы изделие побыстрее покрылось мхом, нанесите на высохший гипертуф несколько слоев кефира или натурального йогурта, подойдет и жидкое удобрение.

В утешение следует сказать, что для выращивания альпийских растений подходят не только каменные корыта или их имитации, которые являются классикой этого жанра, но и любые другие плоские емкости, например, терракотовые или бетонные, вполне авангардно смотрятся альпинарии в оцинкованных тазах. Главное требование к емкости для альпинария — наличие дренажных отверстий в дне. Общее правило сооружения альпинариев — сначала создается «горный ландшафт» и уже только потом в карманы между камнями высаживают подходящие растения.

МЕСТА ДЛЯ РАЗМЕЩЕНИЯ КОНТЕЙНЕРОВ

На выбор контейнера влияет как его садовое окружение, так и то растение (или композиция из растений), которое предполагается в нем посадить. Если эти три элемента сочетаются, получается замечательно. Некоторые контейнеры универсальны и могут быть использованы где угодно. Зона отдыха без растений в горшках существенно потеряет в своей красоте. Контейнеры здесь можно сгруппировать, объединив по какому-то признаку, например, они могут быть выполнены в одном стиле или из одного материала, их может объединить и одинаковая цветовая гамма посаженных растений.

Контейнерами можно закрыть отмостку дома, подчеркнуть границу мощения в зоне патио. Хотя контейнерные растения традиционно ассоциируются с солнечными местами, ими можно украсить и теневой уголок, например, около укромной скамейки или входа в беседку. Здесь можно использовать папоротники, хосты, зеленчук, вечнозеленые рододендроны, а если тень неплотная, то астильбы и лилейники: у всех этих растений компактная корневая система, в горшках им хорошо и уютно без конкуренции со стороны рядом растущих растений, да и нужные свойства почвы в горшке обеспечить проще.

Эффектны парные контейнеры около входа в дом или около скамейки. Крупный контейнер с монументальным растением способен организовать мощный акцент, например, в фокусной точке в конце перголы. Контейнер с растениями может решить и менее глобальную задачу — закрыть «дырку», пустое место, образовавшееся в миксбордере после отцветания какого-нибудь растения.

Если вы приложите умение, старание и не забудете включить фантазию, то даже небольшой по размерам контейнерный сад станет настоящим шедевром, демонстрирующим ваш хороший вкус.

Керамические контейнеры обозначают границу патио.

Около скамейки эффектны парные контейнеры.

ОБМАНКИ

Обманки используются в садовом дизайне уже несколько веков. Были они придуманы древними греками (они делали колонны храмов чуть сужающимися кверху, что зрительно добавляло им высоты), применялись и в русских усадьбах — например, на границах владений устанавливали живописные полотна, которые искусно маскировались зеленью, с изображенными на них дальними видами с деревней, лугами и пасущимися стадами.

Наш великий соотечественник Андрей Тимофеевич Болотов в разных местах своего сада размещал вырезанные из фанеры, искусно раскрашенные плоские силуэты, например, крестьянского мальчика, собирающего грибы, кавалера с дамой или страшного медведя. В XVIII веке любили грубоватые развлечения.

Не стоит относиться к садовому пространству только как к месту приложения тяжелого физического труда, это именно то место, где вы можете продемонстрировать свои художественные способности. Существует множество ухищрений с использованием шпалерных решеток, красок и зеркал, которые можно применить для оформления пространства, которое не годится для выращивания растений.

Обман зрения, тромплей (фр. *trompe l'oeil*) — технический прием в искусстве, целью которого является создание оптической иллюзии. С помощью этого приема объект, нарисованный в двухмерной плоскости, кажется существующим в трехмерной. Эта техника, родившаяся в Древнем Риме, и сейчас успешно применяется. Роспись-обманка в саду выполняется водорастворимыми пигментами по сырой штукатурке, масляными красками по сухой поверхности, используются также акриловые краски, матовый или глянцевый лак, атмосфероустойчивые краски.

Тромплей — очень интересный и эффектный прием, но при его использовании надо соблюдать некоторые условия — роспись требует перспективы, между стеной и зрителем должно быть хотя бы 3 м. Необходимо соблюдать масштаб рисунка: все изображения должны быть соизмеримы с человеческим ростом.

Обманка в саду — это картина, использующая особые приемы перспективной живописи, благодаря которым человек,

Зеркало в нише каменного забора создает иллюзию продолжения сада за аркой.

смотрящий на нее под определенным углом, воспринимает ее как реальность. Чаще всего рисуют пейзаж, видный с данного места. Изображают и садовую калитку, за которой якобы находится соседский сад, эффектно смотрится ложное окно, нарисованное на стене, с настоящим оконным ящиком и настоящими растениями в нем. Конечно, с близкого расстояния видно, что это роспись, но чем дальше вы находитесь от рисунка, тем сильнее иллюзия объемного пространства, осязаемости предметов и форм. Обманка — это окно в другой мир, она ломает грань между реальностью и фантазией. Особенно эффектны обманки в небольших по размеру садах, там, где пространства не хватает и особенно ценится возможность его увеличить.

Можно устроить дверь в заборе. Если потянуть за ручку этой двери или просто хорошенько к ней приглядеться, вы узнаете «страшную» тайну — она никуда ведет, это садовая иллюзия, обманка. Дверь намертво прикреплена к забору, около которого устроена зона для приготовления шашлыка, а рядом размещается беседка. Как было бы некомфортно тут находиться, если бы взгляд человека упирался в глухой забор!

Садовые дизайнеры часто советуют скрывать не слишком привлекательные стены или заборы с помощью декоративных решеток и лиан, но это не единственный вариант, можно «замаскировать» забор и с помощью панно. Рисунок на стене или заборе — это не только произведение искусства, но и замечательная возможность зрительно увеличить пространство и превратить скучную плоскую вертикальную поверхность в море или уходящий в перспективу сад. Рисунок вы придумаете сами, это может быть нарисованное окно с потрясшими вас вида-

ми, например Праги, русская деревенька, как у Андрея Тимофеевича, или даже джунгли. Не забудьте только, что в нашей полосе бывает не только лето, и, если вы живете за городом постоянно, а участок невелик, продумайте, как ваши «джунгли» или «деревенька» будут смотреться зимой.

Перечислим наиболее часто используемые приемы изменения пространства.

Обман зрения при помощи подобных друг другу объектов

Если в начале и конце дорожки посадить два одинаковых по размеру и форме дерева или кустарника, то зритель сделает определенный вывод о расстоянии между ними (и соответственно о длине дорожки). А теперь представьте, что будет, если дальнее деревце или куст заменить меньшим по размеру, но идентичным по форме. У зрителя возникнет иллюзия, что расстояние между двумя деревьями или кустами больше, чем есть на самом деле. Таким образом «играют» не только деревья и растения вообще, но и шары, вазоны, камни и другие повторяющиеся объекты. Зрительно «растянуть» дорожку поможет и такой прием: в начале ее посадим растения с крупными листьями, например, крупные хосты с огромными листьями, а в конце — мелколистные растения, те же хосты, например, но средние или маленькие по размеру, с небольшими листьями, но подобные по окраске.

По этому же принципу работает и цвет: если в начале дорожки посадить растения с зелеными, желтыми или пестрыми листьями и красными, желтыми и белыми цветками, а вдали — растения в голубоватых, зеленовато-серых и серебристых тонах, то это расстояние будет казаться большим, чем оно есть на самом деле, бла-

Если потянуть за ручку этой двери, вы узнаете «страшную» тайну — она никуда ведет, это садовая иллюзия, обманка в углу глухого забора.

годаря тому, что создается иллюзия, будто на голубоватые растения наложилась воздушная дымка, то есть они расположены достаточно далеко. Грамотное использование таких оптических эффектов буквально раздвигает границы сада.

Использование специальных конструкций

Конструкция из деревянных планок, прикрепленная к забору, изображающая арки с туннелем, в центре которой закреплено зеркало, создает иллюзорное ощущение, что за стеной сад продолжается — нужно лишь пройти сквозь арку.

Садовое пространство изменится, если изобразить на заборе фасад домика с объемной крышей наверху. Такая фальшпанель сродни театральной декорации, в этом случае фрагмент забора становится садовой мистификацией, изображая домик, примыкающий к забору. В его окош-

Прикрепленная к забору конструкция из деревянных планок изображает арки с туннелем, в центре ее закреплено зеркало. Создается иллюзорное ощущение, что за стеной сад продолжается — нужно лишь пройти сквозь арку.

В подобную раму можно заключить и фрагмент сада, который особенно удался.

ки вместо стекол вставлены зеркала, в которых отражается сад.

Для этих же целей можно использовать деревянную беседку. Если ее переднюю часть (фасад) поставить вплотную к забору и нарисовать на задней стенке приоткрытую дверцу, словно ведущую куда-то вдаль, то обман зрения снова сработает — изображенное на картине издалека будет казаться реальным.

Если вам особенно удался какой-то уголок сада, можете заключить его в деревянную или металлическую раму достаточно большого размера, например, 2,4×4 м, установленную перед ним. Выглядит это очень эффектно и оригинально.

Создание ложной перспективы с помощью постепенно сужающихся дорожек

К сожалению, этот прием подходит только для гравийных дорожек. Если использовать такой прием для мощеной дорожки, то швы между плитами мощения вас разоблачат. Эффектно завершить такую дорожку уменьшенной в размерах скамейкой или соответствующим вазоном. Этот прием действует только в одну сторону, с другой стороны этой дорожки эффект будет обратным.

Заимствованный пейзаж

Суть этого старинного метода — визуальное включение в пространство сада территорий или элементов, данному саду не принадлежащих. Если к саду прилегает река, поле или большой луг, можно создать впечатление, что они являются частью ваших владений. Этот универсальный прием изобретен китайцами несколько десятков веков назад. Например, они включали виднеющуюся вдали пагоду в садовое пространство как часть его, а не как предмет, удаленный на значительное расстояние. Сад открывался миру, и далекая гора «входила в сад». Ну, пагоду и гору в российской средней полосе мы обнаружим вряд ли, а вот сельскую церквушку или огромное выразительное дерево вне пространства вашего сада «привлечь» в него вполне вероятно, хотя немногим так везет. Важным моментом для воплощения этой идеи является создание кулис, в роли которых могут выступать камни, архитектурные постройки, древесно-кустарниковые композиции, с их помощью вы создадите в саду многоплановые «театральные декорации».

Использование зеркал

Большое зеркало, завершающее парковую аллею, — старая садовая обманка, ее можно использовать не только для большого, но и для маленького пространства.

Еще вариант — закрыть зеркалом арочный пролет. К такой псевдоарке должна вести дорожка, идущая под углом к ней, чтобы человек увидел свое отражение и разгадал хитрость, только подойдя достаточно близко. Продумывать отражение в таком зеркале нужно тщательно, там должен отражаться прекрасный сад, а не угол дома, например. Зеркала прекрасно «работают» в качестве садовой обманки со шпалерами, арками и калитками. Чаще всего *trompe-l'oeil* устраивают в конце садовой дорожки, тогда обман раскрывается, только когда зритель подходит вплотную к иллюзорному объекту.

Потрясающая садовая картина, «выполненная» с помощью зеркала, может открываться и с садовой скамейки. Само зеркало должно располагаться в тени, больше всего подойдет северная или северо-западная экспозиция. Края зеркала маскируют не только с помощью арки, это можно сделать с помощью деревьев и кустарников или рамы, деревянной или металлической. Иногда зеркало крепят к глухому забору, оформляя это место как арку или калитку и имитируя переход в другую часть сада.

Если какая-то композиция в саду кажется вам особенно привлекательной, вы можете поставить напротив нее большое зеркало в шикарной раме. Композиция отразится в зеркале, а вы получите прекрасную картину, которая будет меняться в соответствии с сезонными изменениями в саду. Хорошенько обдумайте, откуда вы будете ею любоваться.

Можно вставить зеркала в дверцы шкафа для хранения садовых инструментов, поставленного недалеко от садовой дорожки, в «зеркальном» варианте он будет совершенно незаметен, вы будете видеть не дверцы, а сад, отражающийся в зеркалах.

Зеркала волшебным образом могут изменить пространство небольшого сада, но их следует устанавливать под углом к посетителю, внезапно увидеть перед собой свое отражение в зеркале не очень приятно.

Настенная живопись

Хорошо тем садоводам, у которых вдали виднеется река, поле или радует лес, примыкающий к забору, но не стоит унывать и тем, у кого за пределами дачного участка нет ничего интересного, есть способ «раздвинуть» и такие границы. На свободных стенах зданий или на заборе можно изобразить атмосферостойкими красками «волшебный пейзаж». Лучше нарисовать картину на северной или се-

Если переднюю часть арки поставить вплотную к забору и нарисовать за ней приоткрытую дверцу, словно ведущую куда-то вдаль, то сработает обман зрения — изображенное на картине издали будет казаться реальным.

веро-восточной стене, она не должна освещаться прямыми солнечными лучами, которые могут свести на нет все усилия художника. Что нарисовать? Например, морской пейзаж с лодочками и дальним берегом, на котором расположилась деревушка. Постарайтесь найти сюжет, который не надоест вам слишком быстро.

Что же нужно, чтобы создавать обманки в саду? Требуются фантазия, художественные способности, знание законов перспективы. Иллюзия создается при помощи двух факторов — угла зрения и игры света. Обманка кажется реальностью только с определенного угла зрения, поэтому важно не только придумать и воплотить композицию, но и продумать, как ее преподнести, ограничив угол зрения отвлекающими объектами — статуей, группой кустарников, растениями в кадке. Организовывать садовую иллюзию нужно тщательно, продумывая идею и все детали, иначе получится смешно и даже вульгарно.

Нарисованные декорации веками применялись для создания садовых иллюзий. Ложный вид должен рисоваться хорошим художником, в противном случае вы можете испортить дизайн всего сада. Большая стена с мастерски изображенным на ней пейзажем будет великолепно смотреться в саду. Если же вы пока не очень уверены в своих силах, изобразите картину поменьше, например, арку, якобы ведущую в другую часть сада, обязательно обрамив эту ложную перспективу настоящими растениями в настоящих контейнерах.

На заборе можно изобразить атмосферостойкими красками «волшебный пейзаж», например, озеро с лодочками и дальним берегом, на котором раскинулась деревушка.

СВЕТИЛЬНИКИ

Светильники выполняют в саду не только утилитарные функции, они занимают достойное место в списке малых архитектурных форм. Ушли в прошлое времена, когда вечером в саду для освещения двери и ступенек зажигали лампочку на шнуре, закрепленном на столбе или крыльце дома.

Нельзя игнорировать тот факт, что садовое освещение — это не только волшебная красота ночного сада, но и сложная техническая проблема, при неграмотном проведении работ садовое освещение может быть потенциально опасным для жизни хозяев и гостей. Прежде чем перейти непосредственно к интересующей нас теме дизайна современных садовых светильников, обсудим, какое освещение мы можем организовать в саду, а также некоторые технологические проблемы и важные технические аспекты освещения участка.

ВИДЫ ОСВЕЩЕНИЯ САДОВОГО УЧАСТКА

Функциональное освещение используется для практических целей: вечернего и ночного освещения входной и въездной зон, жилых и хозяйственных построек, стоянки автомобиля, дорожек, ступеней, водоемов и других потенциально опасных мест на участке. Большинство владельцев садовых участков этим минимальным освещением и ограничиваются.

Попав на участок в поздний час, приятно обнаружить, что калитка, дорожка, ведущая к дому, и входная дверь видны достаточно отчетливо. Эти важные и приятные признаки комфорта обеспечивает так называемое дежурное освещение, дающее возможность легко ориентироваться на участке и безопасно по нему перемещаться вечером и ночью.

Основная задача, которую решает декоративное освещение, — создание определенного настроения в вечернем и ночном саду, особенно в местах отдыха. Правильно спланированное и сделанное освещение позволит любоваться садом в темное время суток, позволит дольше находиться на воздухе, создаст вечером уют в беседке, на патио или на удобной скамье, превратит обычный сад в чарующую ночную сказку. Многие работающие владельцы загородной недвижимости появляются дома только поздно вечером, им полюбоваться красотой сада без ландшафтного освещения просто невозможно.

Декоративные светильники «работают» в саду не только в темноте, днем они выступают в качестве малых архитектурных форм, украшая растительные композиции, дорожки, водоемы.

Широкое распространение на участках получило смешанное освещение, когда светильники одновременно решают функциональные и декоративные задачи. Конечно, это самый хороший вариант. Правильно подобранные светильники придают саду особый шарм, расставляя эффектные акценты днем и создавая сказочно прекрасные картины ночью.

Не стоит забывать о праздничном освещении. Если к обычному освещению участка добавить гирлянды, ряды огней вдоль дорожек, световые сетки на деревьях и беседке, пустить «гибкий» свет по элементам декора, то праздник надолго сохранится в памяти участников.

ВАЖНЫЕ ТЕХНИЧЕСКИЕ АСПЕКТЫ ОСВЕЩЕНИЯ УЧАСТКА

Системы освещения бывают высоковольтными (220 В) и низковольтными (12 В). Обе связаны с прокладкой по участку электрического кабеля, о котором можно забыть, только применяя светильники на солнечных батареях.

Высоковольтное освещение — это дорогостоящая и сложная система освещения с напряжением 220 В. Ее разрабатывают одновременно с проектированием участка, монтаж осуществляют на этапе инженерной подготовки участка и поручают его специально обученным людям.

Сначала нужно решить, в каких местах сада будет функциональное освещение, в каких декоративное, определиться со сти-

листикой дневной и вечерней картины сада: где нужен направленный, а где рассеянный свет, будут ли подсвечиваться водные объекты, скульптуры, цветники. Затем разрабатывается проект освещения, и только потом подбираются и монтируются светильники. При нарушении такой последовательности выполнения работ можно сделать ошибки, исправление которых дорого обойдется, например, придется вскрывать для прокладки высоковольтного кабеля недавно сделанные дорожки.

Под землей прокладывают кабель под напряжение 220 В на глубине 50–70 см в пластмассовом гофрированном шланге или металлической трубе, он должен быть цельным и идти от выключателя, перед которым поставлен автомат защиты.

Сейчас популярны низковольтные светильники с напряжением 12 и 24 В, обладающие массой достоинств:

1. Установка низковольтной системы довольно проста, безопасна, не требует специальных знаний и навыков работы с электричеством, любой аккуратный человек (не обязательно аттестованный электрик) справится с ее установкой. Монтаж можно проводить на этапе озеленения участка, прокладывая низковольтный кабель по поверхности земли с последующей маскировкой его камнями или мульчей, либо укладывая его в неглубокие канавки (до 40 см).

2. При случайном повреждении проводки человек или домашнее животное не получают удара электрическим током.

3. Миниатюрные светильники легко замаскировать среди растений, листва не горит при близком контакте с ними.

4. Такие светильники незаменимы при оформлении водных устройств, мостиков и мостков, для подводной подсветки используются водонепроницаемые светильники.

5. Осветительные системы низкого напряжения легко перенести на другое место,

Декоративные светильники «работают» в саду не только в темноте, днем они выступают в качестве малых архитектурных форм, украшая растительные композиции, дорожки, водоемы.

Привлекательны светильники, напоминающие мыльные пузыри, плавающие по поверхности воды.

Маленькие светильники, спрятавшиеся в зелени растений, таинственно смотрятся ночью.

Светильники на солнечных батареях аккумулируют солнечную энергию в течение дня и постепенно расходуют ее ночью.

их можно наращивать и перенастраивать. Низковольтные светильники устанавливаются за счет зажимных контактов, они могут многократно перемещаться по длине проводки для достижения наилучшей подсветки, что невозможно в случае высоковольтной системы.

Низковольтная система освещения имеет свои особенности (некоторые назовут их недостатками):

1. Поверхностная прокладка проводки — спорное преимущество, такая проводка может быть повреждена во время ухода за садом, по этой причине ее желательно прокладывать в защитном кожухе.

2. Низковольтная система требует применения понижающего трансформатора. Лучше всего установить его в закрытом техническом помещении, тогда все линии проводов, идущие по саду, окажутся под безопасным низким напряжением 12 В. Если это невозможно, используют трансформаторы для уличного применения. Тип трансформатора определяется общей мощностью линий, на которых установлены светильники. При необходимости установки большего количества ламп необходимо разбивать систему освещения на контуры. Каждый контур низковольтной системы освещения требует отдельного понижающего трансформатора, что увеличивает стоимость системы. Мощные индукционные трансформаторы шумят, причем тем сильнее, чем выше нагрузка, что может быть неприятным для тех, кто сидит в беседке.

3. Система низковольтного освещения предусматривает применение специальных проводов и кабеля, способных обеспечить передачу электричества без потерь в напряжении, к каждому светильнику должно подходить напряжение 12 В.

4. Низковольтная система освещения использует только галогеновые светильники, которые обладают отличной цветопереда-

чей, но имеют существенные недостатки, главные из которых — высокая чувствительность к скачкам напряжения и, соответственно, короткий срок службы.

Светильники на солнечных батареях аккумулируют солнечную энергию в течение дня и постепенно расходуют ее ночью. Эти светильники не могут использоваться как полноценные источники света из-за слабой интенсивности светового потока, их загадочное мерцание годится для маркерного освещения дорожек. Достоинства светильников на солнечных батареях:

1. **Дешевизна**. Расходы ограничиваются покупкой фонарей. Не нужно приобретать и прокладывать кабель, платить за электроэнергию, менять перегоревшие лампы.

2. **Простота** установки и обслуживания. Установите светильники в нужных местах и все, их не надо включать и выключать, уход сводится к очистке от загрязнений.

3. **Надежность**. Аккумуляторы солнечных фонарей способны зарядиться/разрядиться более 1000 раз, сами светильники могут использоваться до 30 лет в диапазоне температур от — 10 до +50 °C.

4. **Автономность**. За солнечный день аккумулятор накопит энергию, достаточную для работы в течение 10–14 ч.

5. **Безопасность**. Фонари абсолютно безопасны для человека или животных.

6. **Мобильность**. Вы можете переставлять и перевешивать светильники сколько угодно.

Эти светильники мягко выделяют какие-то детали, отдельные растения, подсвечивают водоемы. Маленькие светильники, спрятавшиеся в зелени растений, таинственно смотрятся ночью. Подсвеченные ступени и дорожки — это эффектно и безопасно. Мягкий свет фонаря, работающего на солнечной батарее, не может решить вопрос садового освещения полностью.

ПРОЕКТИРОВАНИЕ ОСВЕЩЕНИЯ САДА

Используя проект ландшафтного дизайна сада, выбирают наиболее удачные виды из окон дома, из беседки, скамейки, патио и пр., определяют крупные деревья, кроны которых будут подсвечиваться, подпорные стенки, малые архитектурные формы, водоемы, бассейны и пр. На этом же этапе определяют количество светильников для подсветки, цветовые характеристики плафонов и направление светового потока. Выборочное подсвечивание отдельных зон владения интереснее, чем создание сплошного освещения по периметру сада. В саду желательно обеспечить причудливую игру света и тьмы, не допуская возможного ослепляющего эффекта светильников, который разрушит созданную гармонию.

Вместе с ландшафтным проектируют функциональное освещение, нельзя забывать о подсветке парадной зоны участка и входов в жилые и хозяйственные помещения. Здесь можно использовать парковые светильники с полусферическими плафонами или болларды с отражателями и решетками. Даже в большом саду неуместны уличные светильники на опорах, лучше использовать боковое освещение от светильников, встроенных в бордюры, подпорные стенки или мощение, при этом высвеченной оказывается только поверхность мощения, что не мешает наслаждаться открывающимися садовыми картинами. Можно использовать невысокие тропиночные светильники, равномерно расставленные вдоль дорожек, со световым потоком, направленным вниз.

Организуя освещение небольшого участка, можно добиться визуального увеличения его размеров. Объекты, освещенные светом с высокой цветовой температурой (белым, голубым), воспринимаются как более удаленные. Чтобы расширить пространство сада, на заднем плане устанавливают фонари с лампами, дающими прохладные оттенки цвета. Объекты, которые хочется приблизить, выделяют с помощью света теплых тонов: красноватых или желтоватых, для чего используют лампы с низкой цветовой температурой. Эффектны разноцветные лампы для освещения водоема. Наиболее уместны в саду лампы белого и голубого цвета, с остальными цветными лампами следует быть осмотрительными, так как они меняют естественную окраску листвы.

С целью экономии электричества и удобства управления электрическая цепь разбивается на контуры (отдельные цепи), подсоединенные к единому распределительному щитку. Желательно заложить максимальное количество отдельных контуров не только для осветительных приборов, но и для защищенных розеток для подключения садовых электроприборов (электрические газонокосилки, насосы и т.д.). Резервные контуры позволят при необходимости добавлять новые осветительные и потребительские приборы.

Управление светом на участке может осуществляться вручную или автоматически. В первом случае устанавливают выключатели для каждой зоны освещения (отдельного контура) или даже светильника, собранные на общем распределительном щитке или разнесенные в разные места. Удобно, если свет в удаленной от дома беседки барбекю может включаться не только из дома, но и из нее самой. При автоматическом управлении светом используется процессор, который в определенное время или по определенной программе включает и выключает отдельные зоны. Фонари часто снабжают автоматикой — сенсорами движения (включаются при вашем приближении), сенсорами сумерек (включаются с наступлением темноты), таймерами (включаются в нужное время), самым простым и надежным является ручное управление.

Для небольшого сада вопросы ландшафтной подсветки можно решить опытным путем. Выйдите темной летней ночью с фонариком и прикиньте, хотите ли вы иметь залитую светом территорию или лишь отдельные освещенные уголки. Купите прожектор с регулируемой площадью освещения, устанавливайте его в разные места, меняя направление луча, режим освещения, и смотрите на то, что получается. В данном случае метод проб и ошибок вполне подходит.

НАЗНАЧЕНИЕ И ПРИНЦИП ДЕЙСТВИЯ СВЕТИЛЬНИКОВ

По назначению и принципу действия светильники делятся на две неравные группы. Более многочисленную составляют садовые светильники, из них формируют основу практически любой системы наружного освещения. Их размещают у парадного входа в дом и вдоль основных дорожек. Они освещают ночной сад и украшают его, создавая пленительные картины. Своими размерами, формой и расположением светильники гармонично вписываются в общую стилистику участка, превращаясь днем в МАФ.

Вторую группу образуют прожекторы, которые используют для подсветки отдельных привлекательных элементов сада, создавая удивительные картины ночного сада. Прожекторы устанавливают так, чтобы они были незаметны, внешний вид их прост и минималистичен, стоят они существенно дешевле, чем садовые светильники.

Правильно подобранные светильники придают саду особый шарм, расставляя акценты днем и создавая сказочно прекрасные картины ночью.

Если хочется подсветить ствол растущей на участке сосны с красивой корой, многоствольное дерево или букетную посадку, то прожектор располагается у самых корней. Если требуется осветить крону или отдельные ветки, прожектор располагается в нескольких метрах от ствола дерева. Этот вариант хорош для ели с плотной кроной, липы, огромного дуба, чудесно смотрятся березы, словно светящиеся изнутри. Интересные фрагменты кроны можно высветить, расположив прожекторы внутри нее самой, такой способ подходит для любых крупных красивых деревьев, важно только задекорировать провода.

Прожектор можно расположить так, чтобы дерево отбрасывало интересную тень на вертикальную поверхность стены или забора. Здесь не важно, насколько эффектно само дерево, важна только необычность и красота его тени.

СПОСОБЫ ОСВЕЩЕНИЯ

Заливающее освещение используется для создания равномерной световой среды, оно применяется на парковке и спортивной площадке. Такое освещение визуально уменьшает пространство, поэтому не используется на участках менее 10 соток. Светильники устанавливают на высоте 2–8 м на опорах или прикрепляя их к дому.

Фронтальная подсветка. Потоки света льются на объект спереди, в равной степени освещая все его элементы. Падающие тени остаются вне поля зрения, собственных теней мало, объект кажется довольно плоским и перегруженным деталями. Этот способ подсветки нужно применять осторожно.

Подсветка сверху. Характер бликов, образующихся при таком расположении светильников, близок к естественному, но гораздо больше по интенсивности, нужно найти баланс между светом и темной прилегающей территорией.

Ночью невысокие светильники мягко освещают поверхность дорожки.

Светильники могут также играть роль малых архитектурных форм.

Грамотно подсвеченная растительная композиция может выглядеть весьма интригующе.

Подсветка снизу. Некоторые объекты особенно интересны в потоках света, направленного снизу. Такой свет позволяет выявить то, что малозаметно или невидимо днем. Необычно при такой подсветке выглядят незеленолистные (пестролистные, желто- и пурпурнолистные) деревья и кустарники — их листья приобретают прозрачность, различимы даже узоры прожилок. Обычно при подсветке снизу расстояние от источника света до объекта равно высоте последнего, но для усиления эффекта можно сделать это расстояние вдвое меньшим.

Контурная, или силуэтная, подсветка (сзади). Поток света направляют на объект сзади и снизу, зритель видит его графическое изображение. Темный контур выделяется на освещенном фоне, цвет и фактура зелени становятся неразличимы. Такой эффект хорош для демонстрации необычного габитуса растений, источник света должен быть скрыт, а сам свет не должен бить в глаза.

Боковая подсветка по касательной. Поток света направляют на объект с бокового направления по касательной, образуя выразительную светотень. Чередование освещенных и неосвещенных участков дает представление о глубине пространства и протяженности объекта. Скользящим светом пользуются при освещении стриженых живых изгородей, вытянутых композиций из растений, групповых посадок с геометрическими формами.

Пересекающийся свет. Объект освещают с двух сторон, выявляя при этом особенности освещаемой композиции и смягчая ее. Этот эффект очень привлекателен в саду.

МЕСТА, ТРЕБУЮЩИЕ ПОДСВЕТКИ

Дорожки и площадки

Самый простой способ наружного освещения территории — равномерно расположить однотипные светильники. Этот способ подходит для функционального освещения дорожек и площадок, он фиксирует перепады рельефа — ступени, подпорные стены, склоны, обеспечивая безопасность передвижения. Для получения равномерного освещения подходят светильники-торшеры. Чтобы получить маркировочное освещение, используют столбики (болларды).

Дом и постройки

Даже при наличии светильника у калитки и фонарей вдоль главной дороги к дому, над входной дверью желательно установить фасадный или потолочный светильник. Выполняя свое прямое назначение, он будет и дополнительным украшением крыльца.

Главная дорога и второстепенные дорожки

При освещении главной дороги к дому нужно стараться добиться полноценного освещения. Для второстепенных дорожек можно ограничиться обозначением направления движения, важно осветить те места, где дорожки пересекаются. На протяженных маршрутах не следует ставить фонари на каждом шагу, достаточно тех, что помогут ориентироваться в пространстве. Самый неудачный вариант освещения дорожек — слепящий свет, направленный в глаза пешеходу.

Пример разумного сочетания красоты и пользы — светильники, монтируемые в грунт или между плиток мощения. С их помощью освещение получается мягким и равномерным, не режет глаза. Особенно экономичны низковольтные модели на светодиодах. Однако не забывайте, что эти светильники не выдержат вес автомобиля. В малых садах дорожки на открытых местах можно обозначить с помощью светильников на солнечных батареях, они будут хорошими ориентирами во время прогулок по саду.

Фонарь на столбе перголы вечером осветит зону отдыха.

Для освещения цветников можно использовать фонари, расположенные внутри посадок.

Встроенный источник света у входной двери.

Лестницы, ступени, подпорные стенки, мостики

В темное время эти опасные места в саду нужно освещать с особой тщательностью, выявляя неровности поверхности покрытия. При сооружении подпорных стенок лучше заранее предусмотреть установку светильников, встроенные в кирпичную или каменную кладку они выглядят особенно эффектно. Такое освещение удобно и эффектно. Традиционно светильник ставят сверху подпорной стенки, заливая светом максимально большую территорию, оставляя саму стенку в тени. Если же расположить светильник у ее основания, он осветит стенку, а она поделится отраженным светом с окружающим садом, демонстрируя интересный цвет и фактуру материала, из которого сложена.

Места отдыха

В освещении нуждаются беседки, террасы, патио, места для приготовления барбекю и шашлыка, где хозяева любят проводить вечера на свежем воздухе. Чтобы можно было различить очертания предметов в неосвещенной зоне, интенсивность света в беседке не должна быть слишком яркой. В местах отдыха желательно использовать мягкий рассеянный свет, лучше двухуровневый, именно такое освещение добавит уют вечерним посиделкам.

Растительность

Важный декоративный эффект достигается при целенаправленной подсветке деревьев. Это делают, подсвечивая объекты с земли при помощи находящихся на ней прожекторов, а также с помощью встроенных в землю или переносных светильников.

Для освещения объемных цветников можно использовать и яркие, и приглушенные источники света, располагая их вокруг, сверху и даже внутри посадок.

Многоуровневые композиции в миксбордерах лучше освещать боковым светом. Растительная композиция выглядит интересно, когда частично выхвачена светом из темноты.

Водные устройства

Если сделать удачную декоративную подсветку, вода предстанет во всем великолепии, а водный объект превратится в ночную доминанту сада. Особенно необычно смотрятся фонтаны, ручьи и водопады, рябь при движении воды заставляет свет «играть». Именно при подсветке таких объектов бывает уместно цветное освещение. Наиболее рациональный путь — использовать подводные светильники, а берега осветить рассеивающим светом. Эффектное зрелище получается, если высветить отдельные уголки пруда, оставив другие в полумраке. Питание подводных светильников должно быть не выше 12 В.

Привлекательны светильники, напоминающие мыльные пузыри, плавающие по поверхности воды, матовые или прозрачные шары смотрятся необычно. Наиболее экономичный и безопасный вариант для них — солнечные батареи.

Скульптуры

Грамотно подсвеченная скульптура может стать хорошим акцентом в световой картине сада, для этого традиционно используются маломощные прожекторы или встроенные в грунт светильники.

ДИЗАЙН СВЕТИЛЬНИКОВ

Со времен первого газового фонаря, появившегося в позапрошлом веке, конструкция светильников не претерпела сильных изменений. Цоколь, мачта и плафон — три составные части любого фонаря, от пушкинского до столбика в стиле хай-тек.

Существует общепринятое деление групп светильников наружного освещения — классические, сферические и полусферические, столбики (болларды), светильники отраженного света, дорожные, встраиваемые. Дизайн фонарей зависит от стилистического решения дома и сада. Для удобства покупателей светильники в каталогах представляются комплектами, в которые входят 3 разных по высоте (от 1 до 3 м) светильника, а также несколько бра для крепления на стенах дома.

Классические светильники составляют значительную долю светильников, их еще называют пушкинскими или парковыми, так как они сохраняют дизайн светильников для освещения парков. Существует большое разнообразие их моделей с высотой столба от 0,5 до 5,0 м. Поток света парковых светильников направлен в стороны. По этой причине дорожное покрытие освещается плохо, лучше освещены стволы и кроны деревьев, скульптуры и стены соседних зданий. Особенности конструкции парковых светильников обуславливают сильный слепящий эффект, на расстоянии зритель видит источник света, окружающие предметы скрыты в темноте. Производители предлагают модели светильников с плафонами из матового стекла, но эти меры лишь смягчают эффект ослепления. Их корпуса изготавливают из литейных алюминиевых сплавов с последующей обработкой и нанесением специального защитного порошкового покрытия. Окраска корпуса и несущих деталей светильников довольно широко варьируется.

У сферических светильников плафон выполнен в виде шара, световой поток равномерно направлен во все стороны. Плафоны могут выполняться и из матового пластика. Эти светильники тоже ослепляют наблюдателя — тем сильнее, чем мощнее лампа. На расстоянии видимым остается только

Если хочется подсветить ствол растущего на участке красивого дерева, то расположите прожектор у его корней.

сферический плафон, а окружающие предметы теряются в темноте.

У полусферических светильников отражатель направляет световой поток в стороны и вниз. Полусферы, сохраняя ослепляющий эффект из-за открытого плафона, тем не менее, хорошо освещают горизонтальную поверхность. Из парковых светильников лучшие те, что с полусферическими плафонами, направленными вниз.

Интересным вариантом светильников для освещения сада являются болларды, или столбики, выполненные в стиле хайтек чаще всего из полированного металла, иногда из пластика или камня. Их высота варьируется от 0,5 до 1,0 м, что не снижает их ослепляющий эффект на наблюдателя, так как кривая распределения света у этих светильников имеет тот же характер, что у классических. Производители предлагают варианты боллардов с плафонами в виде решеток, перераспределяющих световой поток вниз, или с отражателями, направляющими свет вниз. Столбики —

Светильник у входной двери не только освещает ее ночью, но и служит дополнительным украшением крыльца.

С помощью удачной декоративной подсветки водный объект можно превратить в ночную доминанту сада.

Светильники, монтируемые между плиток мощения, — пример разумного сочетания красоты и пользы, с их помощью освещение получается мягким и равномерным.

наиболее популярный вариант низковольтных ландшафтных светильников. Главное их назначение — освещение дорожек и тропинок.

Принцип действия светильников отраженного света (индиректов) основан на том, что световой пучок от источника света проходит по полой светонепроницаемой трубке, а затем отражается от зеркальной поверхности. Свет получается мягкий, равномерно направленный, не слепящий. В этих светильниках используются мощные металлогалогенные лампы, которые хороши для городского освещения, освещения спортивных площадок, на небольших загородных участках их применение неуместно из-за мощного заливающего света и больших размеров светильника.

Дорожные светильники специально разрабатывались для освещения прогулочных и пешеходных дорожек. Поток света у них направлен строго вниз, ослепляющий эффект отсутствует. Светильники выпускаются высотой от 0,5 до 1,5 м. Эти светильники — удачное решение для подсветки пешеходных дорожек загородных поселков, парковок и прочих общественных мест. Для подсветки территорий частных садов специально разработаны тропиночные светильники небольших размеров, чаще всего копирующие цветки, грибы и пр.

Грунтовые — самая низкая и недорогая группа ландшафтных светильников, они устанавливаются непосредственно в грунт, отличаются наличием разного рода декоративных решеток, защитных козырьков и колец, различных по размеру ламп, разным материалом корпусов.

Встраиваемые светильники предназначены для встраивания в горизонтальные и вертикальные поверхности. Для их монтажа нужны определенные ячейки, в которые вставляется сам светильник, зрителю видна лишь его лицевая сторона в виде накладной решетки или окошка. Световой поток направлен перпендикулярно поверхности плафона. В продаже есть встраиваемые светильники с цветными плафонами, позволяющие добиться игры цвета в композициях. Выбор встраиваемых светильников сводится к выбору геометрии и размеров светильника, а также декоративного исполнения лицевой панели, что иногда выходит на первое место.

Они монтируются в полотно дороги, грунт, газон, подпорные стенки, лестницы. Светильники, встроенные в дорогу, не освещают ее, а только показывают направление, зимой они оказываются под толщей снега. Чтобы осветить лестницу, лучше встраивать светильники не в сами ступеньки, а в подступенок. Поверхность таких светильников может защищаться матовыми плафонами и решетчатыми отражателями, чтобы снизить эффект ослепления, например, при подъеме по подсвеченной лестнице. Для парковочных площадок или въездных дорог, а также вертикальных поверхностей предлагаются светильники с отражателем и боковыми прорезями для выхода светового потока. Из-за особенностей конструкции ослепляющий эффект у таких светильников отсутствует.

Встраиваемые светильники могут применяться и для ландшафтного освещения. Оставаясь скрытыми от зрителя, они подсвечивают стволы и кроны деревьев и кустарников, малые архитектурные формы, ландшафтные композиции, поверхности мощения и подпорных стенок. Преимуществом таких светильников является отсутствие ослепляющего действия ночью и их невидимость днем.

Существует несколько признаков, по которым можно разделить светильники:

— по стилю (классический, хай-тек, модерн, китайский и пр.);

— по количеству плафонов (один и более);

Свечи красивы и ярким солнечным днем.

Красивы и романтичны свечи в саду на специально сделанных для этих целей подсвечниках.

— по способу установки (настенные, потолочные, подвесные, консольные, торшерные, встраиваемые);

— по форме плафона (стилизованные под старинные газовые фонари, сферические, цилиндрические, конические, пирамидальные и пр.);

— по материалу (алюминий, медь, нержавеющая сталь, полиамид и пр.).

Самое главное различие фонарей в том, что у одних источник света располагается выше уровня глаз человека, у других — ниже (на высоте 10–70 см). Первые ослепляют путника, который оказывается в световом пятне, отбрасываемом фонарями на землю. Такие фонари не позволяют рассмотреть окружающий пейзаж — виден только тот участок, который непосредственно освещен. Фонари второй группы льют свет на дорожку, не ослепляя. Находясь выше пятна света, можно любоваться окружающим садом. Такие фонари сверху закрывают светоотражающие поверхности — зонтики, крышки и т. д.

В больших садах обычно устанавливают фонари на столбах высотой 3–4 м. Они обеспечивают равномерное рассеянное освещение большой территории. Фонари среднего размера высотой 1,5–2 м создают ограниченное пятно света, служат для подсветки цветников, входа в дом, зоны отдыха. Небольшие светильники высотой 1–1,3 м часто расставляют вдоль дорожек, подбирая высоту и мощность ламп так, чтобы обеспечить достаточное освещение, не ослепляя проходящих людей. В таких светильниках часто используют отражатели и рассеиватели света, матовые лампы и стекла.

Невысокие фонари привлекают к себе внимание, к их внешнему облику следует отнестись особенно внимательно, они не должны выглядеть чужеродными элементами. Фонари высотой несколько десятков сантиметров обеспечивают локальное освещение дорожек, мощеных площадок, они могут обозначать границы участка или садовых зон. Направление света в низких светильниках может быть регулируемым, в таком случае их удобно использовать для высвечивания небольших декоративных элементов в саду, например, каменистой горки, водного каскада, растительной композиции или цветника. Дизайн их должен быть лаконичным и неброским, сочетающимся как с другими фонарями на участке, так и с общей стилистикой сада.

САМОДЕЛЬНЫЕ СВЕТИЛЬНИКИ

Существует два основных направления применения самодельных светильников в саду. Чаще всего для покупного фонаря мастерится оригинальная опора. В качестве опор могут использоваться обработанные бревна, отжившее свой век дерево, на сучьях которого устанавливаются светильники, крупные коряги. Необычный светильник можно изготовить из всего что угодно, например, пустив в ход абажуры, цветочные горшки, мотки проволоки, необычные бутылки, шляпы, трубы, корзинки и пр. Не следует забывать только о двух вещах — хорошем вкусе и требованиях техники безопасности (нельзя небрежно обращаться с высоким напряжением, тем более под открытым небом!).

Вечернее освещение в саду — это не только светильники, но и свечи и даже антимоскитные факелы. Как красивы и романтичны свечи в стеклянных фужерах, металлических птичьих клетках или специально сделанных для этих целей подсвечниках! Подобные осветительные «приборы» небезопасны, особенно если в семье есть дети.

Для покупного фонаря можно смастерить оригинальную опору, в качестве которой подойдет обработанное бревно или отжившее свой век дерево.

Издание для досуга

ЭНЦИКЛОПЕДИИ ЦВЕТОВОДА, ДАЧНИКА

Татьяна Шиканян

СОВРЕМЕННЫЙ ДИЗАЙН ДАЧНОГО УЧАСТКА
Беседки, скамейки, барбекю
и другие малые архитектурные формы

Ответственный редактор *М. Лацис*
Литературный редактор *Ю. Фомина.* Научный редактор *О. Петина*
Редактор *Д. Кириллова.* Младший редактор *Н. Комиссарова*
Художественный редактор *Г. Булгакова.* Художник *С. Лубянская*
Фото *Т. Шиканян, О. Юрина.* Дизайн и верстка *В. Молодов*
Обработка иллюстраций *Л. Молчанов, С. Лубянская*
Корректор *И. Баринская*

В оформлении переплета использовано фото:
Anan Kaewkhammul / Shutterstock.com
Используется по лицензии от Shutterstock.com

ООО «Издательство «Эксмо»
127299, Москва, ул. Клары Цеткин, д. 18/5. Тел. 411-68-86, 956-39-21.
Home page: **www.eksmo.ru** E-mail: **info@eksmo.ru**

Оптовая торговля книгами «Эксмо»:
ООО «ТД «Эксмо». 142700, Московская обл., Ленинский р-н, г. Видное,
Белокаменное ш., д. 1, многоканальный тел. 411-50-74.
E-mail: **reception@eksmo-sale.ru**
По вопросам приобретения книг «Эксмо» зарубежными оптовыми
покупателями обращаться в отдел зарубежных продаж ТД «Эксмо»
E-mail: **international@eksmo-sale.ru**

International Sales: International wholesale customers should contact
Foreign Sales Department of Trading House «Eksmo» for their orders.
international@eksmo-sale.ru

По вопросам заказа книг корпоративным клиентам, в том числе в специальном
оформлении, обращаться по тел. 411-68-59, доб. 2299, 2205, 2239, 1251.
E-mail: **vipzakaz@eksmo.ru**

Оптовая торговля бумажно-беловыми
и канцелярскими товарами для школы и офиса «Канц-Эксмо»:
Компания «Канц-Эксмо»: 142702, Московская обл., Ленинский р-н, г. Видное-2,
Белокаменное ш., д. 1, а/я 5. Тел./факс +7 (495) 745-28-87 (многоканальный).
e-mail: **kanc@eksmo-sale.ru**, сайт: **www.kanc-eksmo.ru**

Полный ассортимент книг издательства «Эксмо» для оптовых покупателей:
В Санкт-Петербурге: ООО СЗКО, пр-т Обуховской Обороны, д. 84Е. Тел. (812) 365-46-03/04.
В Нижнем Новгороде: ООО ТД «Эксмо НН», ул. Маршала Воронова, д. 3. Тел. (8312) 72-36-70.
В Казани: Филиал ООО «РДЦ-Самара», ул. Фрезерная, д. 5. Тел. (843) 570-40-45/46.
В Ростове-на-Дону: ООО «РДЦ-Ростов», пр. Стачки, 243А. Тел. (863) 220-19-34.
В Самаре: ООО «РДЦ-Самара», пр-т Кирова, д. 75/1, литера «Е». Тел. (846) 269-66-70.
В Екатеринбурге: ООО «РДЦ-Екатеринбург», ул. Прибалтийская, д. 24а.
Тел. +7 (343) 272-72-01/02/03/04/05/06/07/08.
В Новосибирске: ООО «РДЦ-Новосибирск», Комбинатский пер., д. 3. Тел. +7 (383) 289-91-42.
E-mail: **eksmo-nsk@yandex.ru**
В Киеве: ООО «РДЦ Эксмо-Украина», Московский пр-т, д. 9. Тел./факс (044) 495-79-80/81.
Во Львове: ТП ООО «Эксмо-Запад», ул. Бузкова, д. 2. Тел./факс (032) 245-00-19.
В Симферополе: ООО «Эксмо-Крым», ул. Киевская, д. 153. Тел./факс (0652) 22-90-03, 54-32-99.
В Казахстане: ТОО «РДЦ-Алматы», ул. Домбровского, д. 3а. Тел./факс (727) 251-59-90/91.
RDC-Almaty@eksmo.kz

Подписано в печать 21.12.2011. Формат 84х108 1/16.
Печать офсетная. Усл. печ. л. 21,84.
Тираж 3000 экз. Заказ 10729

Отпечатано с готовых файлов заказчика
в ОАО «Первая Образцовая типография»,
филиал «УЛЬЯНОВСКИЙ ДОМ ПЕЧАТИ»
432980, г. Ульяновск, ул. Гончарова, 14

ISBN 978-5-699-52261-3